おとなの養生訓

當瀬規嗣
札幌医科大学教授

はじめに

「養生訓」は、貝原益軒《かいばらえきけん》が江戸時代に著した書物です。当時としては長命で、84歳まで生きた益軒が、いわば長生きの秘訣について、83歳のときにまとめたものでした。食欲や色欲を慎み、運動、栄養補給、休息を適度に継続することで、健康に暮らすことができると説いたものです。さらに、医者を選ぶこと（これは耳が痛い）、薬の効能と害について指摘をし、医療との適切な向き合い方も説いているものでした。こうしてみると、現代の医学からみても、至極まっとうな、健康の概念を確立した先見の明がある書物です。しかし、具体的な内容は、日々の生活を極度な禁欲生活とするもので、いざ実行しようとすると、ほぼ不可能ではないかと思われるものです。

現在、高齢社会となった日本において、健康維持は万人の関心の的です。長生きになっただけでなく、生活習慣病が人々の中で広がりを見せており、病気を抱えて長生きするということになりかねません。これはこれで、かなり大変なことです。とすれば、生活習慣病を防ぐ、最悪なったとしても、悪化させないため、生活習慣の見直しが必要なのではないかと思われます。

生活習慣とは、日々の食事、睡眠、趣味、嗜好、仕事、休息、入浴などのことを指しています。これらのことに、「乱れ」とは言えないまでも「偏り」があり、それが長年積み重なると、生活習慣病になると考えられます。ですので、生活習慣の見直しが必要なのですが、かといって貝原益軒のような禁欲生活に入るわけにもいきません。日々、仕事をして、お付き合いもあり、それを前提とした健康維持の考え方が必要なのです。そこで、そうした健康維持の方法、考え方を、体のしくみに則して説明しようと試みたのが、北海道建設新聞に連載させていただいているコラム、「おとなの養生訓」です。

私は大学医学部で、医者の卵たちに生理学という学問を教えています。生理学は人の体の働き、しくみを研究、解明する学問です。医療を行うにあたって基本となる知識、考え方を提供することが主な任務であります。そこで、この学問の内容を普段の日常生活に適用して、健康維持がはかれないかと考えてきました。そんなときに、コラムを書く機会を与えていただいて、真っ先に考えたのが、生理学を用いて、日々仕事に励むビジネスマンの健康維持に資するような、エピソード、生活の仕方、健康法などを紹介することです。そこで、決して禁欲生活でない健康維持法を表現する言葉として「おとなの養生訓」というタイトルを付けた次第です。

おかげさまで、編集者のご厚意、ご助力もあり、長期の連載となっています。その内容をピックアップして単行本としてまとめたものが、本書であります。日々の健康維持にとくに参考になりそうな内容を選んで、まとめさせていただきました。コラムの性格上、オリジナルの文章には時事的な内容も含まれております。そこで、単行本として適するように、時事的な内容には修正を加えている部分もありますが、ご容赦をお願いします。

本書を手元において、お時間のあるときに軽く1回分を読んでいただいて、健康維持の参考にしてくだされば幸いです。

筆者　敬白

目次

第2章　「食」べ方ひとつで変わること

第3章　ちょっとした心がけで「健康」はキープできる

第5章　人生を豊かにするための「知恵」

おわりに

第1章

知れば知るほど楽しくなる「お酒」

お酒の「Jカーブ効果」

様々な現象の経過を言い表すとき、アルファベットの形に例えることがあります。有名なのが、Uターンですね。就職や転職に関して使われるJターンやIターンも市民権を獲得したのかもしれません。運転免許試験でS字クランクをやらされましたね。さらに、物事を分析するときにグラフを使いますが、そのグラフの曲線がアルファベットに似ているとして使われることもよくあります。始めゆっくり、続いて急速に上昇して、最後に頂点に達すると、S字カーブと言います。業績が急速に下降し、最下点に再び上昇して元に戻るのはV字回復と言いますね。

医学にもそんな言葉はたくさんあるのですが、お酒に関しても有名な言葉があります。それがJカーブ効果です。飲酒量と健康リスク、つまり病気になりやすいかどうかを比較したときに使われる言葉です。

1日のアルコール摂取量と健康リスクの関係を調べると、全くお酒を口にしない人に比べて、少量のお酒を毎日飲む人の方が、健康リスクが低い、つまり病気になりにくいと言うのです。もちろんたくさん飲む場合は圧倒的に健康リスクが高まり、全くお酒を飲まない人よりはるかに危険になります。この結果をグラフにするとJカーブになるので、Jカーブ効果と呼ばれるのです。Jカーブ効果が明らかになったときに、「酒は百薬の長ということわざは本当だった」と話題になりました。もちろん飲み過ぎは良くありません。

でも、すべての病気に共通しているわけではないこともわかりました。高血圧や脳出血、乳がんでは、飲酒しない人のリスクが一番低く、飲酒量に比例してリスクが高まります。肝硬変では、飲酒量が増えるとリスクは高まり、ある程度の量を過ぎると、さらに急激にリスクが高くなります。

Jカーブ効果が確認できるのは、心筋梗塞や脳梗塞、糖尿病です。ただ、この3つの疾患は現在の日本で確実に増えている病気なので、とくに男性では、Jカーブ効果を意識してもいいのかもしれません。

では、リスクの低いアルコール量はどのくらいかというと、平均で1日20グラムぐらいということです。アルコール摂取量の基準とされる「お酒の1単位」がまさにその量です。ビールで中びん1本（500ミリリットル）、日本酒で1合、ワインで1／4本、ウイスキーでダブル1杯です。かなり難しいですね。1次会の前半で終わりになってしまいます。とすれば、宴会や晩酌の回数を減らすしか方法はないようです。

「ビール腹」の犯人は？

働き盛りの男性のお腹が次第に出てきて、すっかり恰幅《かっぷく》が良くなったのを指して、「あれはビール腹だ！」と揶揄《やゆ》することがあります。夜ごとたくさんビールを飲んでいたから太ったのだというのです。確かに、夜ごとのお酒では、ご飯をたくさん食べることはあまりないでしょうから、本人にはたくさん食べたつもりはなく、それなのに太ってしまうので、ビールが犯人だと思ってしまうのでしょう。

しかし、最近の研究で、ビールだけではどんなに飲んでも太らないことが明らかになりました。そもそも、ビールは他のお酒と比べても、カロリーが格段に高い訳ではありません。さらにビンや缶に記載されているカロリー数は、ビールに含まれるアルコールも勘定に入っているのですが、アルコールは体内ではエネルギー源にならないという説が有力なので、ビールだけで太ることは不可能なのです。ビールをたくさん飲んでいる人に肥満が多い理由は、ビールは効果的な食欲増進剤だということにありそうです。

まず、ビールは発泡します。この泡の成分は二酸化炭素なのですが、これは胃や腸の粘膜を刺激し血行を盛んにして、消化運動や消化液分泌を促進する働きがあります。つまり、空腹に「とりあえずビール」を流し込むと、がぜん食欲が進むのです。そして泡が作り出す清涼感は、口の中をさわやかにして、脂分を洗い流す効果があるので、脂っぽい食べ物とよく合い、食べ飽きしにくくする効果があります。だから、ジンギスカンにはビールなのです。

こうしてビールをお供に脂っこいものをたくさん食べることが夜ごと続くのです。ご飯を食べなくても、結果は明白ですね。私の周りに一晩でビールをジョッキで7～8杯軽く飲むという酒豪がいますが、この人は運動しているせいもあって、極めてスリムな体型です。よく観察すると、本当に大量のビールを飲むのですが、おつまみは一通りしか手をつけていません。「お腹が一杯になるとビールが飲めなくなるから！」と言うのですからすごいものです。つまり、ビール腹はメタボ体型になった食べ過ぎ男性の言い訳に使われているのです。

たくさん食べるためにビールを流し込むのは、ビールに失礼です。ビールの味もゆっくり味わえば、自然と食べる量も減るのではないでしょうかね？

お酒飲むなら「ビタミン」必須

お酒に入っているアルコールは、本来は体に必要がない不要物であり、有害な作用を示す物質でもあります。ですから、肝臓で分解処理し無害化して、主に尿によって体外に放出します。つまり、アルコールが体から抜けるかどうかは、肝臓の働きが重要だということです。

肝臓ではアルコール脱水酵素とアルデヒド脱水酵素という二種類の酵素が働いて、アルコールを無毒化しています。また、この二つの酵素によるアルコール処理が間に合わないときには、他の有害物質の解毒を担当するチトクロームＰ４５０系と呼ばれる酵素システムも動員されます。これらの酵素が作用するためには、ビタミンが必要です。

アルコール脱水酵素とアルデヒド脱水酵素の反応のためには、ビタミンＢ１が必要です。ビタミンＢ１とは糖質からエネルギーを取り出すために必要なビタミンです。ですからビタミンＢ１が欠乏すると、全身がエネルギー不足となり、体に力が入らなくなって、いわゆる「脚気」という病気になります。ビタミンＢ１はアルコールの処理にも使われ、消費されます。したがって、お酒を飲むときにビタミンＢ１の補給がないと、アルコールが処理されにくくなったり、糖質からエネルギーが取り出しにくくなったりする悪影響が考えられます。ビタミンＢ１は豚肉やうなぎ、ピーナツ、大豆などに豊富に含まれているので、おつまみを工夫することで解決できます。

一方、お酒を飲むとすぐ赤くなるタイプの人は、二つの脱水酵素が弱い人で、他にチトクロームＰ４５０系が働いて、アルコール処理を助けています。チトクロームＰ４５０系はビタミンＣが必要です。ビタミンＣはコラーゲンの合成に必要不可欠なもので、不足すると、最悪の場合、血管が破けやすくなり、全身で出血が頻発する壊血病となります。アルコールを大量に摂取すると、チトクロームＰ４５０系が活発に働いて、その際にやはり大量のビタミンＣが消費されることになります。

ですから、とくにお酒に弱い人は、ビタミンＢ１に加えてビタミンＣの補給に努めるべきです。ビタミンＣは柑橘《かんきつ》類の他、ホウレンソウなどの野菜や、ジャガイモ、サツマイモに豊富に含まれています。おつまみとしてはポテトサラダがお勧めですよ。

「バーボン」の由来はあの王家

今、アメリカ合衆国で作られるウイスキー原酒のことをバーボンと言っています。でも、本当は、バーボンというのはアメリカ中西部、ケンタッキー州のバーボン郡で作り始められたウイスキーのことです。材料は大麦だけのスコッチウイスキーと違い、50％以上のトウモロコシを使い、他は、ライ麦、小麦、大麦が加わります。

バーボンというのは、フランス語の「ブルボン」の英語読みです。ブルボンは中世フランスに君臨した王家の姓です。アメリカ独立戦争のときにブルボン朝フランスが応援してくれたので、それに感謝して、ケンタッキー州の郡の名前にしたのだそうです。だから、本当は「ブルボンウイスキー」と言うべきなのでしょう。

バーボンウイスキーは同じ製造法によりケンタッキー州で広く作られるようになり、それをすべてバーボンウイスキーと呼ばれるようになりました。実は隣のテネシー州でも同じ製造法のウイスキーが作られているのですが、製造者は誇りを込めてテネシーウイスキーと表示しています。有名なジャックダニエルがそうです。というわけで、少なくともケンタッキー州産のウイスキーをバーボンと呼ぶのが正しいと思うのですが、アメリカでは法律で決められた製造法で作られたアメリカ産のウイスキーは、すべてバーボンと呼んでいいことになっています。

私は若いころからウイスキー好きです。実は、日本酒は甘くて気持ちが悪く、ワインは酸っぱくてだめ、ビールは苦いと敬遠していたのです。もちろん、今はすべておいしくいただいていますが。そんな私がバーボンと出会ったのは20代後半。そのころは関税の関係で高級ウイスキーでした。でも、バーボンの主成分であるトウモロコシの香りに魅せられて、バーボンばかり飲むようになっていました。

ウイスキーはストレートで味わうのが本道と考えられています。もちろん、バーボンもそうなのですが、意外とお勧めなのはロックで飲むことです。ウイスキーの香りを楽しむためには、少量の水を加えるといいとされます。水割りではありません。少量の水を垂らすのです。ロックにすると、氷の表面が徐々に溶けて、バーボンのトウモロコシの香りを引き出してくれるのです。バーボンはロックが最高です。あくまで個人の意見ですが……。

お酒と「脱水」は表裏一体

よくビールを飲むとトイレが近くなると言われます。実際、ビアガーデンに行くとトイレは大盛況。札幌大通《おおどおり》のビアガーデンではトイレの確保が毎年の悩みで、仮設トイレには長蛇の列ができます。この現象は、もちろんビールの飲酒量が他のお酒に比べて多いことと関係があるのですが、それだけではありません。実は、アルコール自体におしっこを増やす作用があるためなのです。

人のおしっこの量を調節するホルモンは数種類ありますが、そのうち、おしっこから水分を回収して、体の水分を保持する役割を持つものをバゾプレッシンと言います。このホルモンは脳の視床下部という場所の神経細胞によって作られて、下垂体という場所から血液中に分泌されます。つまり、脳がバゾプレッシンを作るのですが、アルコールはこの作用をあっという間に抑えてしまうのです。したがって、おしっこからの水分の回収は停止され、おしっこの量が飛躍的に増えてしまいます。つまり、ビールで考えても、飲んだ量以上の水分がおしっことして失われることになるのです。

量がそんなに多くない焼酎やウイスキーでも、アルコールの摂取量は変わらないわけで、結局、たくさんの水分が失われることになるのです。暑い盛りで、汗をたくさんかいているときに、お酒ばかり飲んでいると、おしっことして体からよりたくさんの水分が失われて、脱水状態になる危険性が高まるわけです。日中のビアガーデンなら、熱中症すら引き起こしかねません。夜の飲酒でもお酒だけなら、翌朝に脱水状態を持ち越すので、頭痛、吐き気、めまいなど脱水に起因する症状が現れます。そう、つまり二日酔いの症状の大半は、アルコールによる脱水のためなのです。アルコールによる脱水を避けるには、飲酒中にこまめに水を飲むことが大事なのです。ですから、ウイスキーのチェイサーは理にかなっているのです。

私の先輩で日本酒を飲みながら、チェイサーを頼むひとがいますが、さすがの養生法です。本当はビールを飲んだ後にも真水を飲んでいただきたいところです。そして、翌朝のために、寝る前にコップ2杯のお水を飲んでから、床につくことをお勧めします。もし、夜中に目が覚めてトイレに立ったら、もう1杯のお水を飲んでください。これで、よほど大量に飲酒しない限り、二日酔いは防げるでしょう。

「寝酒」で起こる脳へのダメージ

　年末が近づくと忘年会に新年会と、行事や宴席が続きますので、とくにお疲れの方が増えるのではないかと拝察します。疲れを取るには、よく眠ることが一番です。でも、夜遅くまで仕事があったり、宴席で夜更かしが続いたりすると、体のリズムが狂うのか、なかなか寝付けなかったりします。そこで、ついつい寝酒を飲む人が少なからずいるわけです。確かにお酒を飲んで床につくと、寝付きが早いのですが、実は、通常の睡眠とお酒を飲んで眠ることとは、脳に対する影響が全く異なるのです。

　そもそも、人が毎日睡眠を取る理由は、一日中働いている脳に、休息を与えるためです。体の休息は横になっているだけでとれるのですが、脳の休息には睡眠が必要であることが分かっています。その睡眠中には、脳の働きが低いレベルになっている徐波睡眠という状態と、脳がやや活発に動いているレム睡眠と呼ばれる状態が、交互に繰り返されています。このレム睡眠の状態が、脳の休息に必要不可欠です。例えれば、睡眠中に脳を試運転して点検しているというような感じです。

ところが、お酒を飲んで睡眠した場合は、この徐波睡眠とレム睡眠の繰り返しのリズムが乱れてしまい、脳の休息がうまく行われないのです。とくに徐波睡眠のときに、浅い眠りにしかならないので、夜中に目が覚めてしまうことがよく起こります。また、アルコールには脳を麻酔する作用があります。眠るつもりがなくても、飲み過ぎて眠ってしまうことは誰でも経験していると思いますが、これはアルコールによって脳が麻酔されたために起こることです。「飲んだことで疲れて眠った」と誤解されていますが、脳が麻酔されたのですから良いことではありません。飲み過ぎて眠った場合は、レム睡眠自体も起こらなくなり、脳はむしろ深いダメージを受けると考えられます。そういう訳で、眠る前に起こったことを忘れる、逆行性健忘と呼ばれる状態になります。朝目が覚めたらベッドの中にいるけど、どうやって帰って来たのか全く思い出せないこと、ありませんか?

こう考えると、寝酒を習慣にしてしまうと、逆に脳に大きな負担をかけていることになります。やはり、原則的には寝酒はしない。夜は適当な時間で飲むのをやめて、少し醒めかけてから眠るのがいいようです。

お酒の「糖分」はどのくらい？

よくお酒に含まれるエネルギー量、いわゆる「カロリー」を気にする人も多いようです。今は、お酒のラベルに「〇〇kcal」などと表示して、消費者の便をはかっています。この表示にはアルコール自体のエネルギー量が含まれています。

でも、アルコールは体でエネルギー源にはならないし、脂肪や糖分に変わって蓄積されることがないと考えられるので、摂取カロリーとしては勘定しなくて良いのです。ですから、お酒は表示されたものより「カロリーオフ」だと言えるのです。では、カロリーを気にせずにお酒が飲めるのかというと、そうはいきません。お酒には少なからず糖分が含まれているからです。

誤って清酒をテーブルにこぼしてしまうと、そこがべた付きます。これは糖分が含まれているせいです。もともと、お酒は、穀物や果物など糖分が豊富に含まれているものを発酵させて作るわけですから、必然的に糖分が含まれる可能性があるわけです。実際に、清酒、ビール、ワインにはかなりの糖分が含まれています。同じアルコール量にそろえた場合に、一番糖分が含まれているのは発泡酒であることが分かっています。中ジョッキ1杯で12・6グラム。ご飯1杯に含まれる糖分が約60グラムなので、そこその量であることが分かります。以下、順にビールで11グラム、清酒が1合で8グラム、ロゼワインがグラス1杯で2・4グラムの順になります。辛口のワインに糖分は少なくなります。とくに、人気の発泡酒の糖分が多いことが気になりますね。一方、蒸留酒は、蒸留の過程で糖分が抜けてしまうので、糖分が含まれていません。焼酎、ウイスキーなどです。

もちろん、お酒に含まれている糖分は、他の食品に比べれば少ないものです。でも、たくさん飲めば、やはりカロリーオーバーの危険性があります。ましてや、糖分が多い甘いお酒やコーラ、ジュースなどで作るカクテルは、かなり危険。おつまみの量も気になるところです。

という訳で、体重やカロリーが気になる方は、ビールは初めの1杯にとどめて、すぐに焼酎に移行するのがいいでしょう。2次会ではカクテルはやめにして、ウイスキーの水割りに徹する手もあります。もちろん、締めのラーメンは諦めてくださいね。

「ウイスキー」の利点

ウイスキーの源になるのは、14世紀ごろにイタリアで飲まれていた、ワインを蒸留したお酒です。それはつまりブランデーなのですが、当時は、「命の水（アクア・ヴィテ）」と呼ばれていたそうです。体を温め、活力を与えると信じられて薬として飲まれていました。でも、アルコールが体を温めるように感じるのは、アルコールが血管を広げ、心拍数を増やして、血液循環を促進するからです。体の熱はむしろ放出されるので、お酒が醒めると、急に寒くなるのです。閑話休題。

アクア・ヴィテはその後、ヨーロッパ全体に広まり、スコットランドにも伝わりました。そこではブドウが取れないので、ワインではなく大麦を材料にした蒸留酒を作り始めるのですが、これをゲール語で「命の水」を意味する「ウシュク・ベーハー」と呼び、ウシュクの部分がなまってウイスキーと言うようになったのです。そういう訳で、ウイスキーはもちろんお酒として楽しまれていましたが、薬としても使われていたのです。ウイスキーの芳醇《ほうじゅん》な香りも、薬効として期待されていたのかもしれません。今でも、イギリスではウイスキーにレモンやシナモンを入れて、砂糖を加えてお湯で割ったものを、ホットトディーと呼んで、風邪をひいたときに飲んでいます。日本のタマゴ酒みたいなものですね。

ウイスキーは、他のお酒と比べて、体に対する利点があると言われます。一つは、蒸留を繰り返して作るので、酵母の成分が全く残りません。したがって、痛風《つうふう》の原因となるプリン体が全く含まれていません。日本酒、ビール、ワインにはそれなりの量が含まれているのと対照的です。さらに、樽で寝かせている間に、樽からポリフェノールが染み出てきます。ポリフェノールは、ウイスキーに色や香りを与えるのですが、最近は動脈硬化を防ぐと期待されるようになったので、ウイスキーは俄然、健康に良いお酒ということになってきました。

とは言うものの、どんどん飲んでしまえば、やっぱり体に毒です。これを防ぐには、一見逆のようですが、ストレートで飲むことをお勧めします。まず、チビリチビリとしか飲めないので、意外と量がいきません。そして、人に注がれないことです。どんどん注がれると、どれだけ飲んだかわからなくなりますからね。ただ、ストレートのときは、お水（チェイサー）をお忘れなく！

江戸のカクテル「柳陰《やなぎかげ》」

暑さの厳しい日の夕方には、キンキンに冷えたビールをグイッと、いきたいものです。炭酸たっぷりのビールと、それを冷やす冷蔵庫は夏に不可欠という訳ですが、ビールは明治時代になって日本に入ってきましたし、電気冷蔵庫が発明普及したのも20世紀に入ってからです。昔の人は、暑さしのぎをどうしていたのでしょうか？

実は、暑さしのぎの飲み物として、「柳陰《やなぎかげ》」というものが江戸時代の町人に飲まれていました。みりんと焼酎を半々に合わせた飲み物です。本直《ほんなお》しとも呼びます。これを徳利などに詰めて、井戸の底の冷たい水においておき、充分冷えたところで、クーッとやるのです。

古典落語の名作、「青菜」の中で、主人公の植木屋さんが、夏の日に一仕事終え、大店の主人に誘われて、柳陰を酌み交わすシーンが出てきます。そのくだりを名人が演ずると、飲みたくなって、いてもたってもいられません。主人は柳陰を選ぶ理由も述べていて、冷酒、つまり冷やした日本酒は体に応える、柳陰は楽だと言うのです。なるほど、日本酒より焼酎の方が残らない。でも焼酎を冷やして飲んでも味もそっけもない。そこで甘いみりんという訳です。みりんはアルコールが入っているから酒の味が薄まりません。口当たりの良い、スッキリとしたお酒ができます。考えてみると、これはまさにカクテルではありませんか。日本人は江戸時代にすでにカクテルをたしなんでいたのです。なんて恰好がいいことか。

カクテルは常夏の中米、カリブ海地域に広まっていることから、暑さをしのぐ冷たいものがたくさんあります。最近、日本でもよく飲まれるモヒートや、定番のジントニック、ほろ苦いカンパリソーダなど。さわやかさを演出する柑橘類が添えられます。こう考えると、暑さしのぎの方法はビールだけじゃありませんね。

暑さしのぎのビールは、最高なのですが、二つばかり弊害があります。一つは1杯目のうまさが、2杯目以降続きにくく、飽きが来ること。二つ目は、量が多いのでお腹が膨れてしまい食事が進まなくなることです。そこで、柳陰やモヒートあたりを、最初の1杯にしてみてはいかがでしょうか？　口の中がさっぱりとして、暑さで下がった食欲も回復し、食事をおいしく取れます。夏バテ対策にお勧めです。

「休肝日」でも肝臓は休めない

休肝日という言葉があります。休刊日なら新聞のお休みの日ということです。しかし、休肝日は肝臓がお休みになる日のことではありません。そもそも肝臓は、吸収された栄養素を貯蔵し、必要に応じて体に再分配する、問屋さんのような役割を持っています。また、体に生じた老廃物を分解処理する役割もあり、ときには必要な栄養素を合成する働きも持ち合わせています。つまり、肝臓は24時間お休みなしに働いている臓器であり、肝臓がお休みになってしまったときは、急性肝不全という死に至る緊急状態となるのです。

では、休肝日とはどういう意味かというと、単純にお酒を飲まない日、という意味で使われています。アルコール摂取が肝臓に負担をかけているという考えから、お酒を飲まないことで、肝臓の負担を軽減し、アルコール性肝疾患の発症を予防しようという訳です。一般には週に2日ぐらい休肝日をもうけるのが適切であるとされます。例えば、1週間のうち、3日飲んだら1日休んで、2日飲んだら1日休む、といった具合です。ただ、医学的な見解では、アルコールで肝臓にダメージがあった場合、1日ぐらいお酒をやめても、ダメージからの回復はおぼつかないとされます。休肝日は１週間の総飲酒量を減らして、肝臓へのダメージを予防するための方策なのです。

それでは、どのくらいの飲酒量なら肝臓へダメージを与えないのかと言われますと、１日あたり日本酒で２合以下、１週間で14合以下なら、毎日飲んで休肝日がなくても問題は少ないというのが通り相場です。日本酒２合は、ビールなら中ビン２本、焼酎なら１・２合に相当します。

つまり、休肝日が必要なのは、毎日飲酒すると１週間で14合を超えそうな勢いで飲んでしまう人です。実は酒飲みの大半の人がこれに相当すると思いますが、そういう人が１日量を減らせないなら、せめて飲まない日を作りましょうという、社会的なキャンペーンなのです。確かに、宴会が続く時期だと、１日２合以上の飲む機会は多くなっていくでしょう。大体、２合も飲むと、勢いが付いてそこでやめることができなくなる人の方が多いと考えられます。１日２合以下を守るか、週２日の休肝日を守るか、いずれにしても苦渋の選択になるのでしょうか。

「お酌」文化の行く末

差しつ差されつ、お酒を酌み交わすのは、酒席での重要なコミニュケーションツールと言われます。しかし、注がれたお酒に、必ず口をつけなければならないという「決まりごと」は結構、厳しいものがあります。結婚披露宴の席で、次々にお酌されて、顔真っ赤にしてふうふう言っている新郎を見たりすると、かわいそうになってきます。

正直、お酌は体に良くないと思います。自分がどのくらいのお酒を飲んだのか、わからなくなってしまうからです。お酌する方は、そのことだけが目的（？）だから、相手が前後にどのくらいのお酒を飲んでいるか、そのピッチはどのくらいかなんて、一切構わず、善意の塊として勧めてきます。断れないからと、素直に受け続けると、結果的にハイピッチで、相当な量のお酒を飲む羽目になります。これは、悪名高き「一気飲み」とさほど変わりません。さらに、注がれた杯やコップを空にすることを求められたりして……。やはりお酌なんてなしで、気兼ねなくマイペースで楽しみたいものです。

そういえば、ワインやビールより、日本酒の方がお酌されてしまう確率が高いような気がします。もともと、日本酒はお燗《かん》して飲むのが普通で、それもお猪口で、一口ずつ飲むものでした。お燗が冷めないように楽しむための方策です。だから、日本酒はもともとお酌が前提のお酒なのです。ところが、今は冷やのコップ酒に平気でお酌してしまいます。で、酒宴ではビールやワインまでお酌するのです。味が変わっておいしくないと思うのですが……。

元来、ワインは大きなグラスに入れて、ある程度自分のペースで飲み進めるのが原則。ビールはジョッキに入れて、それを飲み干すまで注ぎ置きなんてしません。ウイスキーのストレートをお酌なんてしないでしょう！　よく調べると、お酒がまだ入っている杯にお酌をするのは、日本ぐらいのものらしいのです。

日本のお酌文化は、もちろんいいところもあるのですが、ともすると、お酌する方が、される方に飲酒を強要することにつながってしまいます。学生や若い人たちの飲酒事故は、お酌による飲酒の強要が発端である場合が大半です。今やアルコールハラスメントという言葉も一般的になっているので、一度我が身を振り返ってみた方がいいかもしれません。お酌は、初めの１杯でとどめたらどうでしょうか？

「下戸《げこ》」は鍛えても強くならない

お酒を全く飲めない人のことを、下戸《げこ》と言います。お酒は飲めるけど、好きでないから飲まない人ではなく、体質的にお酒に弱く、ほんの一口お酒を飲んだだけで、すぐに真っ赤になって、動悸《どうき》が出て、苦しくなってしまう人のことを指します。

こういう人は粕《かす》漬けに含まれる程度のアルコールで酔っぱらってしまいます。お酒に含まれるアルコールは肝臓にある酵素で分解処理されますが、この酵素が全く働かない人たちです。日本人の５％程度の人がこの酵素が働かないので、お酒を全く受け付けないのです。なぜ酵素が働かないのかというと、親から代々受け継がれた遺伝子に、働きが極めて弱い酵素の情報が書き込まれているからなのです。ですから、下戸の人は、どうしたって下戸でなくなることはありません。俗に「お酒は鍛えれば強くなる」と言われていますが、全くの誤りなのです。下戸の人に「一口でいいから」とお酒を無理強いする人がいますが、これはいじめ以外何物でもありません。厳に慎むべきなのです。

ところで、下戸なのに酒席の付き合いを快く応じる人が私の身近にいます。ウーロン茶なんか飲みながら付き合ってくれて、3次会ぐらいまで一緒にいます。お酒も飲まないで長時間いるのですから、つらいはずなのですが……。余程周りに気を使ってくれているのかとも思ったのですが、本人に聞いてみると、「酒席で話をしていると、とても楽しいから」と言うのです。

そうなのかと思ってみたのですが、どうも腑《ふ》に落ちません。そこで、彼をよく観察して気づいたのです。どうも、彼は「酔っぱらって」いるのです。気分が上がって、顔もうっすら赤くなっています。下戸である彼は、もちろん一口もお酒を飲んでいません。でも、酒席の室内には、たくさんお酒が並んでいるために、アルコールが蒸発して漂っています。彼はその空気を吸い込んでいるので、それで酔っぱらっているらしいのです。下戸だから、空気に含まれるわずかなアルコールで適度に酔ってしまっているのです。酔っぱらっているのなら3次会までもいけるのでしょう。何杯ウーロン茶を飲んでも苦にならないのです。そういう訳で、私たち呑兵衛どもも、気兼ねなく彼を3次会まで連れまわすようになったのです。これは決していじめではありませんよ。

「ジン」の良さは個性の少なさ

最近、ジンが流行り出しています。ジンといえば、ジントニック、ジンライムなど、おなじみのカクテルに入っているお酒というのが、一般的な認識です。しかし、最近、日本のメーカーで、ジンに個性的な香り付けをしたものが発売されるようになりました。実は、札幌にもそんなメーカーが誕生しています。それで、ジンはカクテルにしなくてもそれ自体でうまいと、気づかれた方も多いのではないでしょうか。

そもそも、ジンってどんなお酒でしょうか？　先日、知人にジンの材料を聞かれて、一瞬、返答に困ったことがありました。大麦、ライ麦、ジャガイモなどから発酵し、蒸留してとられた純度の高いアルコール、つまりスピリッツが原材料だからです。まあ、蒸留したアルコールなら、どんな材料でもいいので、返答に窮したのです。

じゃあ、ただのスピリッツ、という訳でもなく、ジンという名前がつくためには、ジュニパーベリーという植物の実と一緒に蒸留を繰り返して香り付けされなければなりません。名産地はロンドン。イングランド（スコットランドではない）を代表するお酒といえばジンなのです。

ジンは、オランダの名門であるライデン大学医学部の教授が解熱利尿の薬用酒として使ったものが起源と言われています。つまり、薬だったのです。アルコールの発汗作用や利尿作用を目的としていた、と、今では解説できますが、正直、本当に効いていたのか怪しいところです。

でも、うまいお酒であったので、本来の目的とは別に広まっていったのだそうです。おいしくて体にもいい、と一挙両得を狙ったのでしょうか。酔いながらも健康でいたいと思う、人間のサガを感じます……。

ジンがカクテルベースとして広まったのは、その個性の少なさに関係があります。ジュニパーベリーの香りはほんのりとしていますし、軽い苦味も邪魔なものではありません。だから、他のリキュールなどとも相性がいいのでしょう。

私は、お酒を教えてくれた先輩方の言いつけを守って、ジンはマティーニとして飲むのが一番と思っています。また、初見のバーでは、手始めにジントニックを頼むと良いとされています。飲みやすいし、どのジンを選ぶのかによって、バーテンダーの趣味、趣向が分かるとか言われます。

シンプル・イズ・ベスト、とはジンのための言葉かな。

飲酒は「アルコール消毒」になる?

毎年冬にはインフルエンザが流行します。普段は元気いっぱいのビジネスマンも、多数の方がインフルエンザの高熱で寝込んでしまいます。夜の盛り場では、「毎日、アルコール消毒しているあいつが倒れるなんてねぇ……」とうわさが飛び交います。インフルエンザはのどにウイルスがつくために起こるので、お酒がのどを通過するときに消毒できるという考えみたいです。でも、お酒でアルコール消毒は全くできないのです。

消毒に最適なアルコールの濃度は70%で、60%以下になると効力が著しく落ちて、ほぼ意味がなくなることが分かっています。さらに、アルコール消毒液は、タンパク質に触れるとさらに効力が落ちるのです。タンパク質は人の体を作る成分そのものですから、消毒液が体に触れると、瞬間は効力があっても、みるみる効力が落ちていくのです。

とすれば、ウイスキーのストレートでも40%程度しかないお酒を、ゴクリと飲むわずかな時間では、消毒にはならないということです。昔、時代劇で手傷を負って、それを処置するために、焼酎を口に含んで「ぷーっ」と吹きかける場面がよくありましたが、医学的には気休めということになります。

でも、お酒に漬けた食べ物が全く腐らないことも事実です。だから低い濃度のアルコールに細菌やカビなどの繁殖を抑える力があることは間違いがありません。この辺が誤解を招く原因かもしれません。例えば、お酒は酵母や麹菌《こうじ》などの微生物の作用によって作られるのですが、微生物のまわりにアルコールが溜まってくると、結局、このアルコールのために微生物は死んでしまいます。その限界の値は20％程度と言われます。だから、20％より濃い日本酒やワインは作れないのです。もっと強いお酒を造るには、お酒を蒸留して濃縮しなければならないのです。

なぜ、20％程度で死んでしまうのかについては、アルコールが細胞を直に破壊する消毒のような作用ではなく、アルコール自体が細胞にストレスになり、細胞の働きを低下させて死に至ると考えられています。とすれば、この低濃度での作用には時間が必要なので、微生物を何時間もアルコールに漬けていないと起こらないことになります。

やっぱり、お酒で消毒は難しいのです。

さらりと語れるようになりたい
日本酒の燗と冷や

昔から、清酒はお燗をつけて飲むのが普通でした。古典落語には「冷や酒は体の毒」というフレーズが出てきて、ほとんどの場面で燗をつけてお酒を楽しんでいる様子が描かれています。

冷や酒というのは、単に室温においた清酒のことです。これをお湯で温めて燗をつけるのですが、昔から「上燗」がよいとされています。もっと熱くすると熱燗という訳ですが、お酒がおいしくなくなると、敬遠されます。冷や酒はからだに悪く、熱燗はおいしくないから、上燗にするのです。実は、これには科学的な裏付けがあるのです。

清酒を代表とする日本酒には、主成分であるエチルアルコールのほかに、アセトアルデヒドといった、揮発性の成分が僅かながら含まれています。これらの成分が日本酒の香りや味わいに一役買っていることは間違いないのですが、これらが、体の中に入ると、色々悪さをすることが分かっています。

アセトアルデヒドは量が増えると、血管を開いて顔を赤くして、頭痛やむかつきの原因になります。また、二日酔いの原因でもあります。アセトアルデヒドの沸点は20℃ぐらいです。一方、エチルアルコールの沸点は78℃ぐらいです。つまり、上燗にすると、体に悪いアセトアルデヒドは蒸発して飛んでしまうのですが、主成分であるエチルアルコールは残るので、軽い味わいになり、体に負担がかからないという訳なのです。

熱

55〜60℃	飛《と》びきり燗《かん》
50℃	熱《あつ》　燗《かん》
45℃	上《じょう》　燗《かん》
40℃	ぬる燗《かん》
35℃	人《ひと》肌《はだ》燗《かん》
30℃	日《ひ》向《なた》燗《かん》
20℃前後	冷《ひ》　や

冷

78℃ エチルアルコール沸点

おすすめ!（上燗）

20℃ アセトアルデヒド沸点

第2章

「食」べ方ひとつで変わること

「ジンギスカン」がヘルシーな理由

北海道と言えばジンギスカン。近年のジンギスカンブームで全国的にも有名になった名物料理ですが、道産子にとっては「ソウルフード」。花見に、海水浴に、何かにつけて、ジンギスカンを食べるのは当たり前。においも気にせずに、居間の食卓で盛大にジンギスカンを楽しむご家庭も多いと思います。私が子どもだったころには、マトンが普通だったので、においは今の比ではありませんでしたが、それでも、肉がたらふく食べられるので、ジンギスカンは楽しいメニューでした。

においがきつく、肉をたくさん食べるのだから、健康とはほど遠いイメージなのに、ジンギスカンはヘルシーメニューとして有名です。理由は、牛肉や豚肉に比べて、カルニチンが豊富に含まれていることです。

カルニチンは、元来、私たちの体に当たり前に存在する物質で、細胞でエネルギーを作り出す小器官であるミトコンドリアにあり、脂肪からエネルギーを取り出すときに使われます。したがって、カルニチンを摂取すれば、脂肪燃焼が進んで太らないはずだから、へルシーだという論法です。でも、普段の食事をしていればカルニチンが不足することはないので、ジンギスカンを食べればやせてくるというものではなく、太りにくいという程度のことです。

それよりも、羊肉の脂肪が固まりやすい性質を持っていることが大事な様です。ジンギスカンのたれに脂肪が白く固まっているのをみることも多いと思います。羊肉の脂肪の融点は摂氏44から49℃ぐらいと、摂氏37℃の人の体温より高いのです。ですから、お腹に収まった羊肉の脂肪は固まっていると考えられます。とすれば、羊肉の脂肪は消化吸収がしにくいと推測されます。

実際、ジンギスカンを食べると、どうしてもお腹が緩くなる人が多いのですが、消化吸収されなかった脂肪分が便通を促す効果と思われるのです。同じ量のお肉を食べたとして、牛肉や豚肉に比べて脂肪の吸収が少ないとすれば、羊肉は太りにくいという理屈は正当かも知れません。

ただ、ジンギスカンはタレの味が濃いので、ご飯や飲み物がどうしても欲しくなる食べ物です。ジンギスカンはヘルシーでも、一緒にご飯たくさん、ビールを何杯も、というのでは、元も子もありませんから、ほどほどに！

「胃もたれ」は胃の悲鳴

忘年会、年越し、新年会と、年末年始は宴会が続きます。どうしても食べ過ぎ、飲み過ぎが続いてしまいます。気が付くと、胃が重苦しく、胸やけがして、いわゆる「胃もたれ」の状態になってしまう方も多いのではないでしょうか。そもそも胃もたれとはどういう状態なのでしょうか。

胃もたれと表現される状態の大半は、消化が進まず、胃の中に食べ物が長く滞留していることで、お腹が張った状態が長引いている場合になります。なぜ、消化が進まないのかというと、食べ過ぎが続くことで胃に一種の疲労が生じて、胃液の分泌と運動が低下してしまうからです。だから、一般に胃もたれは食後に起きるわけです。

一方で、こうして疲労してしまった胃では、元来空腹であるはずのタイミングで食事をしても、すぐにお腹が張って、食欲が落ちてしまうことがあります。これも胃もたれと表現されます。空腹の胃に食べ物が入ると、その量に合わせて、胃の壁が緩んで拡張する作用があるのですが、これが疲労のために緩みにくくなり、すぐにお腹が一杯になってしまうからです。さらに胃の動きが悪くなると、食道と胃の境目の噴門《ふんもん》が緩んで、胃液が食道に逆流し、胸やけが起こりやすくなります。つまり、胃もたれは胃の疲労と考えて不都合はないのです。

では、その対処法ですが、つまり、胃の疲労をとることが、根本的だということです。手っ取り早い方法は、1、2食、抜いて、胃を休ませることです。また、十分な睡眠をとることも大事です。なぜなら、胃の疲労のもう一つの原因は、宴会などイベントが続くことによる気疲れ、つまりストレスである可能性が高いからです。

食事を抜くのに抵抗のある人もいるでしょう。その場合は、胃に負担をかけない食事、つまり消化にいい食べ物を選ぶことです。タンパク質と脂肪は胃に負担をかけるので、肉類、揚げ物は避けて、うどん、おかゆ、そうめんあたりを控えめに食べることも良い方法です。

手っ取り早く胃もたれを解消するなら、苦いものを口にする方法があります。苦味はそれだけで胃の運動を活発にする作用があるからです。煎茶、コーヒーなどを濃い目に入れて飲むのがいいでしょう。苦い胃腸薬をいったん口に含んでから飲み込むという方法もあります。胃をいたわりましょう。

「カルシウム」が足りない!

昔に比べるとそれなりに豊かになった日本人は、栄養不足となる危険性は非常に低くなりました。実際に厚生労働省の調査によると、日本人は炭水化物やタンパク質などほとんどの栄養素の1日の必要量を、十分に摂取していることが明らかにされています。ところが、ここ数十年にわたって、必要量に達していない栄養素があります。それはカルシウムです。

ご存じのようにカルシウムは、骨を作るために必要不可欠な栄養素です。ところが、日本人は、必要量の90%程度しか摂取しておらず、これがいつまでたっても改善しない状況が続いているのです。

もちろん、これくらいの不足で、すぐに骨の発育が悪くなるとか、骨が折れやすくなるという訳ではないのですが、カルシウム不足が長く続いていると、老後に骨がもろくなる骨粗《こつそ》しょう症という病気になる危険性が高くなるという指摘もあります。やはり、カルシウム不足は解消されるべきなのです。

日本人のカルシウム不足の原因として、魚の消費量が減っていることが挙げられます。確かに、魚にはカルシウムが多く含まれています。しかし、たしかに魚の消費量は減っているのですが、それはここ20年ぐらいで明らかになってきたことで、しかもその量自体もそんなに大きく減ってはいないのです。カルシウム不足はそれより前から指摘されていたわけで、カルシウム不足の原因は魚離れであると単純には言えないのです。

私は魚の量自体より、魚の種類に問題があるではないかと考えています。食材としての魚を調べると、含まれているカルシウムの量に大きな差があることが分かります。カルシウムが豊富な魚としては、イワシ、アジ、カレイ、サンマが挙げられます。一方、カルシウムが少ない魚としては、カツオ、サバ、マグロ、ブリが挙げられます。

食材として考えると、カルシウム豊富な魚は、骨ごと食べたり、小骨が多かったりする魚で、丸ごと焼いたり煮たりして食べる魚です。一方、少ない方の魚は、切り身とか刺身にして、身の部分だけ食べる魚であることに気が付きます。

日本人は魚を食べなくなったのですが、とりわけ、カルシウム豊富な安い魚を食べなくなり、贅沢でカルシウムが少ない魚の刺身や握りずしばかり食べるようになったことが、問題のような気がします。安い魚を丸ごと食べることを意識して、カルシウム不足を解消しましょう！

「オリーブ」を丸ごとかじろう

かつて「イタ飯」、つまりイタリア料理のブームがありました。今では、フランス料理、中国料理と並んで、外国料理の大看板になっています。とくにパスタを使った料理の人気は衰えることがありません。もともと、日本の子どもたちはスパゲッティ、マカロニで育ってきたのですから、いわばソウルフードなわけです。

そのパスタ料理に欠かせないのがオリーブオイルです。まあ、パスタに限らず、イタリア料理のレシピには大抵オリーブオイルが使われているので、和食で言えば味噌やしょう油ぐらい当たり前の食材です。

ところが、オリーブオイルを取り出すオリーブの実《み》は、それに比べるとまだまだ認知度が低いのです。「ピザに乗っている黒っぽい実」ぐらいの認知度が一般的なのでしょうか。いやいや、オリーブの実はこれでなかなかいけるのです。

オリーブの実は塩漬けの形で供されます。でも、たっぷりと含まれているオリーブオイルのおかげで、しょっぱくなく、まろやかな口当たりを楽しめます。ワインのお供に薦める人も多いのですが、私は断然蒸留酒に合わせるのが正解だと思っています。

ウイスキー、バーボン、ラム酒など、アルコールの強い刺激をうまく和らげてくれます。イタリア産のブランデーであるグラッパとも当然のごとく合います。カクテルで言えば、何といってもマティーニに浮かべるのが最高です。かつて先輩から「マティーニはオリーブを楽しむためのカクテルだ」と習ったものです。

日本には梅の実がありますが、梅の実の塩漬けは、なんとなくオリーブに通じるものがあります。焼酎に梅干しを入れる「梅サワー」は定番ですが、似ているからなのか、焼酎にオリーブは悪くないと思います。オリーブの実を入れると油が出て若干味わいが損なわれますが、オリーブの実をかじりながら、焼酎を飲むのはいいものです。

オリーブの実は、栄養学的な効用も指摘されています。多量に含まれているオレイン酸という油は、いわゆる不飽和脂肪酸であり、動脈硬化を防ぎ、認知症予防の効果も期待されています。だいたい、オレイン酸の語源は「オリーブからとれたこと」に由来するのですから。オリーブをたくさん使う地中海地方は心臓血管系の病気が少ないことも分かっています。

今夜は、オリーブの実をかじりながら、イタリアで人気のグレングラントというシングルモルトでいこうと思います。

「締めの……」はメタボ一直線

食べ物をおいしく食べるためのパートナーがお酒であるのは間違いありません。とくに、ビール、ワイン、日本酒をおつまみ無しで飲む人は、チョット危ない「のんべえ」かと……。食前に飲むビールなどの発泡酒は、炭酸の作用で胃腸の運動を刺激して、食欲増進効果があります。また、ほどよく酔った状態では、アルコールの軽い麻酔作用で抑制がとれるので、普段抑え気味になっていた食欲が前面に出てきます。とくに、普段スタイルを気にしている女性は、その傾向が強くなり、お酒を飲むとたくさん食べてしまいます。こうして、酒宴では、普段家で食べるよりも、たくさんの食べ物を口にする人が大多数です。でもまあ、このぐらいは酒宴を楽しく過ごすためのポイントですから大目にみましょうか。

さて1次会が終わり、2次会に繰り出すと、おつまみは軽くても良いからと、濃いお酒を飲む人が多くなります。いや、相変わらずビールを！　と言う人もいますが……こうして、相当な量のアルコールが飲まれます。お酌する人がいればなおさら？

飲み過ぎれば別ですが、上手にお酒を楽しんで2次会が終了。ここで運命のときを迎えます。実は、２次会までに相当なアルコールが体に入っています。元来毒であるアルコールを分解処理するために、肝臓はフル回転で働いています。そこで、肝臓に異変が起こります。普段の肝臓は、腸から吸収した糖分を一旦貯蔵して、体の求めに応じて糖分を再分配する役割を持っています。体は配られた糖分を使ってエネルギーを得て生きていくのです。つまり、肝臓は「物流担当」なのです。

しかし、アルコール処理という急ぎの用事が多くなると、肝臓は物流担当の役割をサボり始めます。こうして、血液中の糖分が急速に足りなくなってきます。これをアルコール性低血糖と言います。こういう状態になると、脳は体の糖分が不足していると誤判定します。結果、まだ１次会の食べ物がお腹にたっぷり残っているのに、空腹を感じるのです。そこで、いい心持ちの誰かが言います。「締めにラーメンでも食べようか！」。

ああ、誰もこの誘いを止められません。かくして、昼なら充分一食分となるラーメンが胃袋におさまってしまいます。明らかにオーバーカロリーです。メタボ一直線です。「締めの……」は危険です。

「糖質」を減らすコツ

糖質というのは、デンプンやお砂糖などの栄養素の総称です。糖質と似たような言葉に炭水化物があります。炭水化物という分類には、糖質の他に食物繊維と呼ばれるものが含まれています。食物繊維はヒトにとってエネルギーとはならない成分で、糖質とは区別されています。つまり、糖質と炭水化物は別な言葉なのです。

糖質はヒトの体で、極めて重要なエネルギー源として働きます。脳も筋肉も、とりあえず利用できて素早くエネルギーを取り出せる燃料として、糖質を使っています。したがって、ヒトは食事として、実に多くの糖質を摂取しています。

栄養バランスが良いとされている日本食でも摂取エネルギーの50〜60%は糖質で、残りがタンパク質や脂肪になっています。実際、日本人は主食という考え方が、根強く定着していて、まずご飯を食べることが食事の中心になっています。言うまでもなくご飯には相当な量の糖分が含まれています。そして、ご飯を食べない食事のときには、パン、パスタやうどんなどのめん、イモなどが添えられたメニューを必ず選んでいます。実際、こうした糖質を多く含む米、小麦、イモがないと食べた気がしない、何か物足りないと考える人が大多数です。試しに糖質を含まないようなメニューを外食で探すのはほぼ不可能です。ラーメンライスやハンバーガーにポテトでは、ほとんど糖質だらけになってしまいますが、ステーキだけを頼んでも、つけ合わせにはフライドポテトやスパゲッティがついていたりするものです。

つまり、我々は知らず知らずに大量の糖質を常に摂取しているのですが、この大量の糖分をとり続けると、糖尿病になることは、ご存じのとおりです。ですから、意識して糖質を減らすように心がけなければいけません。かといって、糖質が必要な栄養素であることは間違いないので、全くとらないというのは、逆にトラブルを起こす恐れもあります。ほどほどに糖質を減らすのです。

手っ取り早い方法はないか、という方に。朝ご飯と昼ご飯は、特別、変える必要はありませんが、夕ご飯でなるべく糖質を取らないようにしてはどうでしょうか。例えば、ご飯は軽く一膳にとどめる、ご飯以外のおかずにイモやパスタなどは入れない。ご飯の代わりにとうふを食べる方法もあります。中年でおなかが大きい方に、お勧めします。

「豆」の底力

お豆はお酒のお供として、一つの定番です。ビールに枝豆、ウイスキーにはナッツ、ワインはヒヨコ豆やレンズ豆の煮込み、日本酒なら納豆がいいですね。豆腐は大豆で作りますが、日本酒には最高であります。

豆類はエネルギー豊富な食べ物で、主食としても十分に役割を果たすものです。しかし、同様に主食として扱われる米、麦、トウモロコシ、イモなどとは異なった栄養的な特徴を持っており、しばしば、「体に良い食品」として扱われています。

まず、第一にタンパク質が豊富であるということです。最近、脂肪を気にして肉類を控える人の中で、タンパク質が不足する傾向が見られます。タンパク質は体を作り整えるのに不可欠な栄養素ですから、これを豆で補うのは理にかなっているのです。

さらなる特徴は、ポリフェノールが豊富に含まれているということです。ポリフェノールは動脈硬化を抑え、生活習慣病を予防するのに効果があるとされています。また、食物繊維も豊富です。食物繊維は脂肪や糖質の吸収を遅くする作用があり、結果的にカロリー摂取量を抑えられるので、肥満や糖尿病の予防に有効であるとされています。

加えて、食物繊維は腸に常在するいわゆる善玉菌のえさとなるので、善玉菌が増えて腸内環境を整える効果が期待できます。そうなると、胃腸の働きは改善され下痢や便秘を防ぐことができるのです。

色々と効能が挙げられているのですから、お酒のおつまみとして利用しない手はありません。でも、やたらとたくさん食べれば良いという訳でもありません。脂肪の含有量が多いお豆は要注意です。

とくにピーナッツは格段に脂肪が多く含まれていますので、食べ過ぎるとオーバーカロリーになってしまいます。お酒のおつまみとする場合は、「一晩に20粒まで」と言う人もいます。しかし、20粒まで数えながら食べるというのは興ざめですね。

一方、大豆も脂肪が多い豆なのですが、加工の途中で脂肪分が抜けるので、大豆を原料にした豆腐、湯葉、納豆などはさほど気にする必要はありません。ただ、煎り大豆は脂肪が残っていますので、加減した方が良いでしょう。

そんな御託を並べなくても、ビールは枝豆、日本酒は冷奴に決まっているだろうと、声がします。人は体に良いことを自然と選んでいるのです。不思議ですね。

「おもち」の粘り気を侮るなかれ

お正月と言えば、おもちを思い出す人も多いと思います。お雑煮はもちろん、きな粉もち、磯辺巻きなど、様々な料理として楽しめます。しかし、残念ながら、お正月はおもちによる窒息事故が急増する時期でもあります。毎年、各方面からおもちの事故に対する警告、警戒が発せられているにもかかわらず、事故は減りません。自分だけは大丈夫と、皆さんが思っているからなのでしょう。おめでたいはずのお正月が、一転悲劇に変わってしまう訳です。用心に越したことはありません。

なぜ、おもちで窒息が起こるのでしょうか。「そりゃ、のどに詰まるからだ」と言ってしまえば、そうなのですが、おもちは他の食材にくらべて、詰まりやすい性質がそろっているのです。まず、どこに詰まるのかということです。

のど全体におもちが詰まっているということは、意外とありません。実際は、のどに引っかかるのです。引っかかる場所は喉頭蓋《こうとうがい》です。喉頭蓋は、食べ物がのどを通過するときに、気管に食べ物が入らないように蓋をするものです。おもちは粘り気があるので、閉まろうとする喉頭蓋に引っかかって、飲み込めなくなってしまうのです。のどのこのあたりはとりわけ狭くなっているので、引っかかったおもちがのどを塞いでしまうのです。

よく噛まないで呑み込むから窒息すると言われますが、普通に噛んで飲み込んだとしても、引っかかる恐れがあるのです。引っかからないためには、もちろんよくかんで、十分小さくすることも大事ですが、噛むことで、唾液をおもちによく混ぜ込むことが重要です。唾液のネバネバ成分で小さくしたおもちを包み込んで、のどの粘膜との間の摩擦を減らすことが肝要です。

お年寄りはのどの粘膜が乾燥しがちであり、おもちがのどにくっつきやすくなっているので、なおさらです。摩擦を減らすという意味では、おもちを食べるときに、汁や飲み物を合わせるのも方法です。そうすると、汁たっぷりのお雑煮は最適と言えます。一方、おもちをきな粉でまぶしている場合は要注意です。

おもちで正月を祝うのですから、あわてず騒がず、心静かに、ゆっくりと味わう心掛けが肝要だと思います。

「卵」の復権

卵は完全栄養食品と言われていました。とくにタンパク質やビタミンCを除くビタミン類を豊富に含み、高い栄養価が評価されていました。確かに、卵からヒヨコが生まれるまで、卵に含まれる栄養素だけで育つわけですから、完全栄養食品といっても問題はありません。おまけに、日本では量産体制が確立して、「物価の優等生」と言われて、長年安い価格で維持されています。そういう訳で、卵は日本の食生活に深く根ざして、色々な用途に活用されています。

ところが近年、卵の評判はよくありませんでした。それは、日本の食生活の欧米化が20～30年前に完了した以降のことです。欧米化により日本人は高カロリー高脂肪の食事を普通にとるようになりました。その結果として、血液中の脂肪量が増えている高脂血症の人が増えて、その結果として動脈硬化となる人が多くなりました。動脈硬化は高血圧、脳卒中、心筋梗塞など病気の直接の原因となることから、動脈硬化を防ぐために、高脂血症の治療や予防が重要視され、そのための薬も開発されました。

高脂血症の人では、血液中のコレステロールが増えていることが重要視され、これを減らすためには、高カロリー高脂肪の食生活を改善する必要があると、考えられるようになりました。そうした中で、卵がやり玉に挙がったのです。コレステロールが他の食品に比べて豊富に含まれているからでした。そこで、血液中のコレステロールの上昇を防ぐために、卵を食べるのは1日1個が限度であるという指導が広くなされたのです。これでは、卵焼きや目玉焼きを満足に楽しむことはほとんどできません。卵好きな中高年は、我慢をさせられてきたわけです。

ところが、最近、米国の研究により、重大なことが明らかになりました。それは、食事に含まれるコレステロールの量は、血液中のコレステロールの量と直接は関係がないというものです。つまり、コレステロールを含む食品を食べても、血液中のコレステロールは増えないということです。血液中のコレステロールが増えるのは、高カロリーの食事とか、体質とか、運動不足とか、そちらに原因があるという訳です。つまり、卵を我慢する必要は全くないという結論です。

これにて卵は無罪放免です。存分に楽しんでください。ただ、食事量全体が増えるのはよくありませんので、お気をつけて。

「コーヒー」の功罪

飲みものを傍らにデスクワークという方が多いと思います。水分補給の目的だけでなく、飲みものに口をつけることで、気分転換がはかられて、そのあとの仕事への集中力が高まるという効果があります。そういう目的から来るのでしょうか、仕事のお供にコーヒーを選ぶ方は多いと思います。コーヒーにはいくつかの効用があります。

まず、その香りです。コーヒーの芳香には、人をリラックスさせる作用があるとされています。また、一方で、コーヒーの芳香に脳を活性化させる効果の報告もあります。コーヒー豆の種類により効果の出方が違うようです。目的に合わせていろんなコーヒーを試してみるのもいい方法かもしれません。そして、飲むとコーヒーの主要な成分であるカフェインの作用が現れます。まず、脳に対して興奮作用を示すので、頭がすっきりして、集中力が高まります。筋肉の動きが高まり、スムーズに体が動くようになるとも言われ、その結果、疲労で硬くなっている筋肉をほぐすことができると言われます。デスクワークで同じ姿勢を続けると、肩、首、腰が凝ってきますが、それをほぐす効果が期待できるのです。

でも、コーヒーには利点ばかりあるのではありません。カフェインは血圧を上げる作用があります。血圧が高めの人は、やはりたくさんのコーヒーを飲むのは控えるべきでしょう。また、おしっこの量が増えるので、コーヒーを飲むと、頻回にトイレに行くことになります。こうして、とくに夏などは、水分のつもりでコーヒーを飲んでいるのに、却って脱水になってしまう恐れもあるのです。

そして、もう一つ、カフェインは消化管を活発にする作用があり、これは飲むとすぐにでも表れてきます。もちろんこれは効用でもあるので、食後にコーヒーを飲むのは、消化吸収を促進するという意味でお勧めなわけです。でも、空腹でコーヒーを飲むと、コーヒーが胃の粘膜に直接作用して、胃液の分泌が高まってしまいます。空っぽの胃に胃液が出ると、粘膜を傷めてしまうことになります。痛みが出たり、吐き気が出たりしますし、もし、胃炎や胃潰瘍があれば、それを悪化させてしまうのです。また、コーヒーを飲み過ぎると、消化管の活発化の結果として下痢を引き起こすこともあります。

コーヒーの効果を生かすためには、午前、午後に1杯ずつ程度にして、昼食前に飲むのは避けるのがいいのではないかと思います。

体内の「塩分」量で味覚は変わる

人の体の60％は水分でできています。この水分は真水ではなく、電解質が溶け込んでいます。つまり、人の体を作るには電解質が必要不可欠であることがわかります。とりわけ、体の中の主要な水分の一つである血液にはナトリウムと塩素という2種類の電解質が多く含まれています。塩素とナトリウムがくっついて結晶になったものが塩化ナトリウム、つまり食塩なのですから、人の体にとって塩分はとても大事なものであることが分かります。事実、塩分不足になると、頭痛、めまい、脱力などの症状が表れ、さらには昏睡《こんすい》に陥り生命の危険にさらされます。塩分はおしっこや汗などに入って、常に失われるので、食事などにより、常に補給されなければなりません。夏に向かうと暑さで汗をたくさんかくことになるので、塩分補給は必要です。

かといって、たくさんとればいいというものではないことは、皆さんもご存じだと思います。塩分を過剰に摂取すると、血液などの塩分濃度が高くなるので、これを元に戻すために、水分がほしくなります。つまりのどが渇きます。そして水を飲み、おしっこの量が減り、血液の量が増えることになります。血液の量が増えると血管を押し広げ、血圧が上がります。高血圧症になるのです。また過剰な塩分を処理しようとして腎臓に負担がかかるので、腎臓病になる恐れもあります。また、高血圧や血液量の増加が心臓に負担をかけて心不全や不整脈を引き起こすことも指摘されています。さらに高血圧は動脈硬化を進行させ、心筋梗塞や脳卒中の危険性も高まります。やはり塩分のとり過ぎは避けるべきなのです。

塩分のとり過ぎは、病気だけでなく、味覚に大きな影響を及ぼすことが分かっています。人は塩味を感じるとき、その基準は体の水分中の塩分量であると言われるからです。塩分をとり過ぎると、体の塩分量が増えて、それが基準になって塩味を感じますから、食べ物により多くの塩分が含まれていないと塩味を感じづらくなり、おいしく感じません。結局、より濃い味付けでなければ満足できなくなり、結果的にさらに多くの塩分を取ってしまうことになります。濃い味付けは、食べ物の本来のうまさを消してしまうことが多く、もったいない話だと思います。

料理を楽しむコツは、薄味になれることです。これが健康にもつながるのですから、一石二鳥でしょう！

「砂肝」の正体

焼き鳥屋さんや焼肉屋さんに行くと、様々な肉がメニューに載っています。ロースやヒレなど肉の部位を示すおなじみのものから、レバー、ハツ、ホルモンなど内臓の部位を示すものまで。あらかじめ知識や経験がないと、戸惑うことの方が多かったりします。逆に、そういったものをサラリと要領よく注文して、盃《さかずき》を傾けている人に出会うと、その格好の良さに見とれてしまいます。酒場でも勉強が必要なんです。

そんな、少し普通じゃないメニューとして、砂肝があります。串焼きにするとこりこりと適度な歯ごたえ、煮込みにしてもうまみのあるあれです。ところで、砂肝の正体はご存じでしょうか？

砂肝は砂嚢《さのう》ともよばれる器官で、ニワトリを含む多くの鳥類（すべてではない）が持っています。一方、ヒトを始めとする哺乳類には認められません。つまり、「ウシの砂肝」というのは存在しません。砂肝のありかは食道と胃の間であり、前胃《ぜんい》とも言われているので、胃の前の方が変化して袋状になったものと考えられます。しかし胃より壁は厚く、これが特有の歯ごたえにつながります。

食道と胃の間にあるということは、消化器官の一部であるということです。砂肝の中には砂が入っているので、砂肝と呼ばれたり、関西ではスナズリと呼ばれたりするのです。この砂は食べ物を細かく砕くために必要で、これによって消化吸収を助けるのです。

どうして砂肝が必要かというと、鳥には歯がないからです。鳥の口はくちばしになっていて、食べ物を食いちぎることはできますが、そのあとは丸呑みになってしまうからです。丸呑みした食べ物は砂肝に入り、時間をかけて粉砕され、本来の胃腸に送られているのです。つまり、砂肝は歯の代わりという訳です。ニワトリを見ていると、たまに砂を呑み込むことがあるのですが、砂肝に砂を溜めるための行動なのです。

こんな話を酒の肴に、焼き鳥屋のカウンターで飲んでいると、生理学を勉強していてよかった、なんて悦に入ってしまうのです。でも、お肉の正体なんて聞きたくない、という人も少なからずいるので、注意が必要です。私はとかくあれこれ説明し過ぎるので、娘あたりには嫌われていますが……。

「フレーバー」なくして本当のおいしさなし

フレーバーとは食べ物の香り、味、食感など口に入れたときに生じる感覚をひとまとまりに表わす言葉とされます。日本語では風味とか香味と訳されます。食べ物を口に入れれば味を感じるのは当然です。食感とは舌触りや歯触り、のど越しの感覚のことです。ところで、口入れた食べ物の香りとはどういうことでしょうか。

もちろん、食べ物を口に入れなくても香りを楽しむことはできます。でもこれはあくまで香り、英語ではスメルとかアロマとか表現されるもので、フレーバーではないのです。口の中の食べ物の香りは、口と鼻がのどでつながっていることで感じ取られるのです。食べ物の香りは口の中に出て、鼻の中へ後ろ側から立ち上り、鼻の天井にある嗅覚を感じる粘膜に到達して、そこを刺激するのです。

ところが、こういう経路を通った香りは、鼻の前から入ってくる香りとは感じ方が異なるのです。そこで、英語ではフレーバーとアロマというように区別して表現しますし、日本語では「風味」と「香り」として区別するのです。学問の世界では、フレーバーすなわち風味は、味ではなく口の中から鼻に立ち上ってくるにおいのことと定義されています。

実は、フレーバーは、人が食べ物を味わい、判別するために非常に重要な要素であることが分かっています。例えば、嫌いなものを食べなければならないとき、鼻をつまんで食べる人がいますが、これは嫌いな食べ物のフレーバーが鼻の中に入ってくることを防いでいるのです。そうすると口の中に何があるのかわからなくなるからなのです。

逆に、風邪などで鼻づまりをしているときに、食事をすると、例え大好きな食べ物であっても、あまりおいしく感じられないものです。大好きな食べ物のフレーバーを感じることができないからです。

つまり、食べ物を楽しむためには、フレーバーを良く感じることができるようにするのが効果的ということです。食べ物を口に入れたら、よく噛んで味わうことで口の中に食べ物がとどまる時間を長くすれば、フレーバーが十分に鼻に届くことになります。ですから、口に入れてろくに噛まずに飲み込んでしまっては、本当のおいしさを感じ取れないことになります。早食いはもったいない行為なのです。

おいしさの決め手は「酸味」!?

酸っぱさ、つまり酸味は、食べ物に含まれている酸性物質の存在を感じ取る味覚です。酸性物質は、水に溶けると水素イオンを発生する物質で、食べ物の中には、酢酸《さくさん》、クエン酸、乳酸、アミノ酸など、様々な酸性物質が含まれています。

酸性は水素イオンの量で測定され、それをpH（ペーハー）で表します。pHは数字が小さいほど酸性が強いことを示します。例えば、お酢はpH３くらいです。ちなみに、強力な酸である胃液はpH１です。実際に食べ物に酸っぱさを感じるのはpH３以下になったときだと言われます。

子どもは一般に酸っぱい味が苦手です。とりわけ赤ちゃんに酸っぱいジュースなんか飲ませてしまうと、赤ちゃんは身震いして驚きます。私も子どものころは、酢の物が苦手でした。酸味はもともと、動物にとっては腐ったもののサインであったと思われます。腐ったものはたいていの場合、強い酸性を示すからです。腐ったものは舌に刺さる酸っぱさですよね。したがって、酸味が苦手な方が、身を守れるのです。しかし、人は人生を重ねるうちに酸味が好きになっていきます。レモンをかじったり、結構酸っぱいフレッシュジュースを飲んだり、ギョーザを酢につけて食べたり。私も、今では酢の物が大好きです。酸っぱさがおいしさに変わるのです。

酸っぱいといえば、すし飯はもっと不思議です。酢を入れたご飯は、酸っぱさはほとんど感じませんが、酢の入らないご飯よりはるかにおいしさを感じます。実は、食べ物のpHは、食べ物のおいしさに、大きく影響すると言われています。pH７以上、すなわちアルカリ性になってしまうと、どんな食べ物も味がぼやけてしまうと言われます。pHが４から６になると、酸っぱさではなく、他の味をおいしく感じると言われます。

つまり、酸味は、単に酸っぱさを感じることだけではなく、弱い酸味は、むしろ前面に出ず他の味を引き立てて、味を引き締める役割があるのです。カツオや昆布で取っただし汁を、味付けしないで飲んでみると、うま味と塩味、そしてかすかな酸味を感じることができます。クエン酸、イノシン酸、乳酸などの味だと思われますが、このかすかな酸味がおいしさの秘密なのかもしれません。

いなせな「エビのしっぽ」

ビジネスマンの昼食の定番メニューの一つに天ぷらがあります。天ぷら定食だけじゃなく、天丼、天ぷらそば、幕の内弁当など、添え物としても大活躍しています。その天ぷらのタネといえば、やはりエビです。天丼も天ぷらそばもエビがないと様《さま》にならないというか、締まりません。エビ天を食べるだけで少し贅沢な気持ちになったりします。

ところで、エビ天といえば必ずしっぽがついています。しっぽをはがして料理することは十分可能なのに、なぜか必ずしっぽだけついています。天ぷらだけでなく刺身やすしにもしっぽが定番ですね。どうも見栄えとか、縁起担ぎとかいうのが理由の様なのです。でも、食べ物の一部として出されているので、エビのしっぽを食べる人も少なくありません。

とくに食通の間では常識とされていることがあります。エビ天丼やエビ天そばを食べるとき、エビ天を食べた後にしっぽだけ脇に置いておいて、すべてを食べ終わったあとに、デザート（?）としてエビのしっぽを食べて締めるのだそうです。結構キザな感じですが、やってみると、口当たりが変わって、確かに締まった感じがしましたね。

一方で、栄養満点だから、エビのしっぽを食べないのは、もったいないという人たちもいます。いわくエビのしっぽはカルシウムが豊富だと言うのです。とかくカルシウム不足になりやすい日本人としては、エビのしっぽで補給できるのであれば好都合です。しかし、これはほとんど望み薄だと断言できます。

エビのしっぽ、つまりエビの殻はキチン質というものでできています。これは多糖類に分類される物質です。実は、人はこの物質を消化分解する酵素を持っていません。よく知られている言葉で言い換えるなら食物繊維に相当します。また、エビの殻はエビにとっては骨格なのですが、人など哺乳類の骨とは全く違う成分なわけです。

ですから、そんなにたくさんのカルシウムが入っているわけでもありません。ましてや消化できないので、含まれているカルシウムも吸収できないわけです。消化しやすいように焼いたり、揚げたりすればいいと言う人もいますが、そうしても、消化吸収はできません。つまり、栄養にならないというのが結論なのです。

エビのしっぽは、見栄えのため、キザの道具、という訳です。でも食に飾りは不可欠ですから、私はエビのしっぽ、大好きです。

人類の発明が負わせた十字架
調味料の功罪

テレビのグルメ番組で、料理のほめ言葉として「素材の味を生かしている」というのをよく聞きます。これは、味付けが強くないことを言っています。と言うことは、素材の味を隠してしまうような味付けがよく行われることの裏返しかも知れません。でも、私たちは、素材の本当の味を知っているのでしょうか?

一方、当然ながら動物たちは、味付けなしでえさを食べています。おそらく彼らは、素材の微妙な味を感じ取り、満足しているはずなのです。人間も料理を発明する前には木の実や肉など素材のまま食べていたはずで、つまり、その微妙な味を感じ取っていたはずなのです。しかし、火を手に入れ、さらに塩や砂糖など様々な調味料を体に入れるようになって、実に様々な味覚を手に入れることができたのと引き替えに、素材の微妙な味から縁遠くなってしまったのです。

調味料の発明は、もう一つ人間に十字架を背負わせました。つまり生活習慣病です。塩分の取りすぎで高血圧症が起こります。砂糖などの取りすぎは肥満から糖尿病につながります。とくに濃い味付けは、塩分や糖分の過剰摂取になるだけでなく、おいしさから食べ物を食べる量自体が多くなる傾向があり、肥満に拍車をかけます。生活習慣病を予防するためには、薄い味付けに慣れるようにした方がいいのです。素材の味をもっと楽しむように心がけることが、現代の養生訓です。

第3章
ちょっとした心がけで「健康」はキープできる

「高血圧」は放置NG！

職場の健康診断で、高血圧を指摘された方がたくさんおられると思います。日本では約1000万人が高血圧と推計されています。つまり、誰でもかかる危険性がある病気だと言えます。高血圧症自体は、ほとんど症状がなく、健診で指摘されても放置しがちですが、高血圧が続くと、様々な合併症が引き起こされ、それによって命を落とすことになりかねない深刻な病気です。やはり、高血圧は治療が必要なのです。

血圧とは、心臓から全身に血液を送り込む動脈に生じた圧力のことです。この圧力によって血液が押し流されて、全身へ配分されます。血圧の源は、心臓です。心臓は収縮して中の血液を動脈に押し込み、この圧力が血圧となるのです。

心臓の収縮によって動脈に生じる圧力の最高値を収縮期血圧と言いますが、これが健診で示される「上の血圧」です。心臓は収縮したのち、再び血液を送り出すために、一旦、拡張に転じます。これにより心臓と動脈の間の弁が閉じて、心臓の力が動脈に伝わらなくなります。

しかし、動脈には弾力性があり、心臓から入ってきた血液によって押し広げられています。心臓が拡張に転じたとき、動脈は元に戻ろうとするので、動脈内の血液を押し流す圧力が、低下しながらもかかり続けます。この後、心臓が再び収縮に転じると、圧力が上昇しますので、拡張している最後の時点に最低値になります。これを拡張期血圧と言い、健診で「下の血圧」と言うのです。健診で二つの血圧の値が出ますが、これは代表値で、血圧自体は連続的に上下を繰り返しているのです。

運動をすれば、全身で血液が必要になるので、そのために血液をたくさん送り出し、血圧は上がります。これは病気ではありません。体を動かさないで、安静にしていたときに測定される血圧が、正常範囲を超えると、高血圧と診断されることになります。

血圧が上がる理由は、循環している血液量が多い場合と、動脈の弾力性が失われる場合があります。前者は塩分を取り過ぎたときに血液量が増える場合です。後者の原因は動脈の老化現象、すなわち動脈硬化が起こっている場合です。動脈硬化は飲酒、喫煙、過食、肥満などで進行することが分かっています。高血圧を指摘された方は、生活習慣を見直し、血圧を下げるように心掛けるべきです。

本当はこわい男性の「更年期障害」

更年期障害というのは、中年以降ホルモンバランスが狂うことで、体に様々な変調が起こり、慢性的な症状に悩まされることを言います。これまで、女性が閉経前後に、女性ホルモンが減少することによって引き起こされるものとして扱われていました。しかし、最近は、男性にも更年期障害があって、それも結構深刻な症状を示すことが分かってきました。

症状としては、のぼせ、ほてり、発汗、動悸、めまい、肩こり、腰痛、イライラなど、男女に共通なものから、倦怠《けんたい》感、不眠、筋力低下、集中力欠如、精力減退など、男性に特有と思われる症状まであります。こうしてみると、結構思い当たる人も多いのではないかと思います。

また、男性の場合、更年期障害の症状として、気分が沈んで悲観的になりやすい「うつ」状態になる人が多いことが指摘されています。放っておくと、うつ病に進行することがあり、仕事ができなくなり、失業や自殺など悲劇的な結果を招きかねません。実は、かなり深刻な病気なのです。

男性の更年期障害の原因は、もちろん老化による男性ホルモンの減少なのですが、女性と違って、減少の仕方が人によって全く異なるので、40歳台や50歳台で症状が出る人もいれば、70歳台、80歳台になっても全く症状の出ない人もいます。男性ホルモンの減少する原因として、年齢以外に最近注目されているのが、ストレスです。仕事などでストレスが溜まってくると、男性ホルモンが減少するスピードが速くなるというのです。さらに、几帳面、まじめ、神経質、責任感が強いなどの性格の人が更年期障害を起こしやすいという指摘もあります。確かに、こうした性格の人はストレスも溜まりやすいかもしれません。

男性の更年期障害を防ぐには、バランスの良い食事を心がけ、とくに新鮮な野菜に豊富に含まれる亜鉛などのミネラルの補給に気を付けましょう。適度な運動習慣を身に付けることが大事だとされています。もし思い当たる症状をお持ちなら、一度、医師に相談してみてください。必要なら、男性ホルモンの投薬が受けられますし、適切な治療、指導により、症状を克服することができるからです。

持病がないにもかかわらず、どうも体調がすぐれないとお感じの中年以降の男性の方、一度病院で診察してもらってはいかがでしょうか。

1日1リットルの「水分補給」を

人は息、排尿、排便、発汗などにより、体から水分を失います。その量は一日で2・5リットル程度になります。そこで、毎日、水を体に取り入れなければなりません。水分補給の手段は大きく三つあり、一つは食べ物に含まれている水分で、一日で1・1リットル程度です。また、体の中での新陳代謝により水分が生じ、これが一日で0・3リットル程度と見積もられます。この二つでは1・4リットル程度ですから、失われた水分を補うには、あと1・1リットルほどの飲水が必要となります。これが不足すると、循環血液量が減って血行が不良になり、倦怠感やめまいなどが起こります。いわゆる脱水症です。でも水分補給が不足して軽い脱水になっている人が結構いると指摘されています。

約1リットルの水分となると、結構な量になりますね。大きめのガラスコップで0・2リットルですから、一日に5杯ほど飲む必要があります。そうして考えると、水分補給が不足している人は結構多いのではと考えます。

コーヒーで考えると、マグカップで1杯あたり0・2リットル前後なので、やはり1日

5杯。でも、コーヒーを毎日そんなに飲む人はあまりいないと思います。おまけにコーヒーやお茶にはカフェインが含まれていますが、これがおしっこの量を増やす作用があるのです。そうするとコーヒー5杯でも水分不足は解消しないことになります。やはりお水を飲むことを心がけた方が得策です。

方法としては、食事のときに必ず水をコップ1杯ぐらい飲むことです。水を飲むと、食事の味が薄まって良くないと言う人がいますが、そんなことはありませんよね。また、水を飲むと胃液が薄まって消化に良くないと言う人もいますが、それも誤りです。

コップ1杯程度の水が気にならないくらい胃液は分泌されるからです。実は私は、子どものころから食事の際は基本的にコップ1杯以上の水を飲んでいます。でも、消化不良や胃もたれで悩むというようなことは全くありません。

三食でコップ1杯ずつ水を飲むとすると、あと2杯は朝起きたときと、寝る前にそれぞれ1杯ずつ飲めば、完璧です。とくに睡眠中は布団の中で汗をかき、寝息からも水分が逃げるので、水分不足になりやすく、寝る前と朝起きの水分補給は大事です。

こうしてみると、少しの心がけと手間で水分不足は解決できるのです。

「カロリー」の誤解

体重を気にする人にとって、「カロリー」という言葉は、非常に気になるものだと思います。でも、カロリーが具体的に何を示しているのか、理解している人は意外と少ないものです。結果として、カロリーについて誤解が生じているようです。

そもそもカロリーは熱量の単位の名称です。水1グラムの温度を1℃上昇させる熱量を、1カロリーと定義しています。熱はエネルギーの一種なので、カロリーはエネルギーの単位でもあるわけです。

食べ物に含まれている糖質、脂質、タンパク質の三大栄養素は、体内で分解されてエネルギーを取り出すことができます。そこで、それぞれの栄養素で完全に分解された場合に生じるエネルギーを割り出して、カロリーで表現することができます。1グラム当たり、糖質で4・1キロカロリー、脂質で9・0キロカロリー、タンパク質で4・2キロカロリーです。この値に基づいて、食べ物に含まれている栄養素の量を測って割り出したのが、食べ物のカロリーと呼ばれる数値です。実際用いられる単位はキロカロリー、つまりカロリーの1000倍であることに注意してください。

しかし、この食べ物のカロリーはすべてが、エネルギーとして使われるわけではありません。とくに、タンパク質は、一旦アミノ酸に分解されてから吸収され、大半は再びタンパク質に合成され、体の構造の材料や酵素になります。また、脂質の一部は細胞を作る材料として利用されます。つまり、このように食べた栄養素の一部はエネルギー源として利用されないのです。

一方、糖質はほとんどがエネルギー源として利用されます。そして、もし余剰の糖質があった場合は、脂質に変えられて皮下脂肪などとして溜められます。これが肥満の原因となるのです。つまり、同じカロリー量を摂取したとしても、タンパク質が多く含まれている食べ物を選んだ場合、肥満になりにくいと言えるのです。

さらに、タンパク質は体を作る材料になるのですから、積極的にとることで体が丈夫になることが期待できるわけです。お肉やお魚をより多く食べれば、その分ご飯やパンを減らすことができ、より理想的なバランスになり、空腹を我慢しないで減量することが期待できるのです。お肉やお魚、もっと食べてもいいのですよ。

その体調不良、「春バテ」かも？

3月、4月になると、何となく体がだるくなって、「やる気が起きない」「スッキリ目覚めない」「食欲が落ちた」などの体の不調を感じることがあります。最近、この現象が注目されて、「春バテ」という言葉も使われるようになりました。つまり、春に起こる夏バテのようなものです。

夏バテは夏の暑さや湿気などによって体調を狂わせることですが、春バテは寒暖差が大きいことによって起こると考えられています。実際、夏のような陽気の日があり、その前後の日と比較すると、最高気温で10℃前後の差で上下したこともありました。春は暖かい日と寒い日が交互に現れやすいのです。

とくに、暖かい日から急に寒くなると、春バテになりやすいと言われます。その目安は5℃以上とされます。通常、体温は脳にある体温調節中枢が指令を出し、気温、室温の変化に対応して体温を一定の範囲にとどめようと働いています。急激な気温の低下があると、それに応じて、体温が下がらないように、体内で熱を作り出したり、皮膚の血管を収縮して放熱を防いだりします。

この反応には相当なエネルギーが必要なので、気温低下が大きいとたくさんエネルギーを消費して、運動していないのに疲労した状態になってしまうのです。この疲れが徐々に蓄積して、春バテになるのです。疲れていれば、だるさ、眠気、意欲の低下は当たり前のことと言えます。

では、春バテの対処法です。気温の急激な低下に対応するため、天気予報で冷え込みが予想されたら、コートなど一枚重ねて外出するようにします。前日が温かいとなおさら惰性で、はおらず出てしまいがちです。また、室内の温度管理も大事です。夜も一枚多くかけて眠るようにします。朝のシャワーは反動で体温が低下しがちなので、寒い日は控えた方がいいでしょう。夜、帰宅後はややぬるめのお風呂にゆっくり浸かるのも効果的です。

もし、疲れが溜まって、完全にバテた状態になったら、やはり休養をとる必要があると思います。

春バテがあるのだと知っておけば、原因不明の体調不良と心配しなくてもよくなるはずです。疲れを感じたら休むのは、現代ビジネスマンの鉄則です。疲れを押して働いても効率は下がるばかりだし、ミスも多くなり、結局損失にしかならないのですから。

「眼精疲労」が仕事効率を下げる!

書類の作成や整理、パソコンの操作、自動車の運転など、仕事では常に目を使っています。とくに根を詰めて仕事をこなすと、目に強い疲れを感じるようになります。いわゆる眼精疲労です。それが積み重なると、肩こり、めまい、頭痛など症状が現れます。下手をすると、高血圧の原因となり、脳卒中や心筋梗塞の危険性が高まります。眼精疲労を侮ってはいけません。しかし、なぜ、目を使い過ぎると疲れてしまうのでしょうか?

目は、鼻、耳、舌と同じ感覚器です。感覚器は体の周りの環境の状況を察知して、脳へ伝える役割を持っています。でも、鼻や耳や舌を使い過ぎたので疲れた、ということにはなりません。目のしくみだけ特別になっているためです。

実は、目のしくみには、いくつかの筋肉がかかわっています。眼球を動かすための外眼《がいがん》筋《きん》、瞳孔を拡げる瞳孔散大筋《どうこうさんだいきん》、瞳孔を縮める瞳孔括約筋《どうこうかつやくきん》、目のピントを調節する毛様体筋《もうようたいきん》などです。お分かりのように、筋肉は使い過ぎると疲労します。目を使い過ぎると、これらの目の筋肉に、徐々に疲労が溜まってきます。とくに毛様体筋は疲れやすいようです。

この筋肉が疲れると、目のピントが合いにくくなり、目がかすんできます。

さらに、目の疲労を解消するために血液が目に集まって充血したり、熱感が出たりするのです。こうした目の状態は精神的、肉体的な負担になるので、顔、首、肩の筋肉の緊張を引き起こし、肩こりや頭痛などを引き起こすのです。

眼精疲労が起こると、仕事の効率は大いに低下します。ですから、疲れを感じたら、すぐに目を休めることが必要です。一番効果的なのは、窓の外の遠くの景色に目をやることです。人の目は遠くにピントが合っているときに、とくに毛様体筋が完全に緩む状態になるからです。

また、ピントが合いにくい状態を続けると、毛様体筋はピントを合わせるために緊張し続けることになるので、大きな負担です。合っていないメガネは眼精疲労のもとです。とくに、40歳以降の方は、多かれ少なかれ老眼が進行しています。老眼を矯正しないでいると、目に常に負担をかけていることになります。無理をせず、老眼鏡の使用をお勧めします。

中年で血圧が高めのあなた！　老眼鏡で血圧が下がるかも！

「サウナと二日酔い」の危険な組み合わせ

二日酔いのとき、サウナに入ると二日酔いが解消できると考えている人が結構います。でも、本当は危険なことだと断言できます。むかし、有名歌手が突然の脳梗塞に倒れました。スタイルを維持するため、毎日サウナに入って、体重を絞っていたのだそうです。前日、お酒を飲んでも、飲まなくても、続けていたそうです。脳梗塞の原因になる糖尿病もすでに発症していたのですが、体重が減れば大丈夫と信じていたそうです。サウナは、脳梗塞発症の引き金を引いたのです。

そもそも、二日酔いはなぜ起こるのでしょう。まず、前夜のアルコールが体内に相当量残っていて、酔いの状態が続いている場合です。かなりの量のアルコールを取っているので、両日にわたっておしっこの量が増えています。この結果、体は水分不足、つまり脱水状態となっています。酔いと脱水で、頭がくらくらする、頭痛がするなどの症状が出ます。さらに、悪心《おしん》を感じることになります。そして、アルコールが分解されると生じてくるアセトアルデヒドが気分を下げ、頭痛などの症状を強めます。

一方、酔い自体が翌朝までにある程度醒めていた場合でも、脱水状態は解消していないことも多く、アセトアルデヒドも残っているので、頭がくらくらするや悪心などの症状が、やはり出てしまうことがあります。二日酔いの症状は、脱水状態とアセトアルデヒドに起因するものです。

サウナに入って汗をたくさんかけば、残っているアルコールが汗と一緒に流れ出る、と考えている人が多いようなのですが、アルコールは汗にはあまり含まれてはいません。それ以上に、アセトアルデヒドも汗には出にくい性質があります。つまり、サウナで汗をたくさんかいても、酔いから早く醒めることはないのです。

一方、二日酔いの原因である脱水状態は、サウナで汗を大量にかくことで、非常に悪化します。汗として大量の水分を失うのですから、当然ながら危険性が高まるのです。サウナの中で汗をかき切って、体温上昇が抑えられなくなり、熱中症になって倒れてしまうかもしれません。また、血液の水分も減少するので、血液が固まりやすくなり、最悪、固まってしまった血液が血管に詰まり、脳梗塞や心筋梗塞などを引き起こす危険性があります。これは生命を危険にさらすことです。

二日酔いでサウナに入るのは、ほぼ、自殺行為です。おやめください。

「スポーツケア」は時間をおかないで！

スポーツを趣味にして、休日に楽しむ方が多いと思います。また、スポーツとまでは言えなくても、健康管理のために体操、ジョギングなどを欠かさない方も多いでしょう。ところで、スポーツの後、体のケアをどうしているでしょうか？ たまの試合で力が入って、すっかり疲れ果てた、足腰に痛みやだるさが残ったということもあると思いますが、そんなとき、体のケアをしているのでしょうか？

休日明けの出勤時、足に筋肉痛が出て、うまく歩けなくて往生した、なんて話もよく聞きます。スポーツは少なからず体に負担をかけるのですから、終わった後のケアは欠かさず行わなければいけません。

スポーツによって疲れが溜まった筋肉では、それとはわからない微細な損傷が多数起こっています。スポーツ終了後、直ちに、微細な損傷の修復が行われるのです。しかし、これがスムーズに行われないと、回復が遅れて次第に痛みが生じてきます。これが筋肉痛の正体です。つまり、スポーツの翌朝に出る筋肉痛は、筋肉の回復の遅れを意味しているのです。これを繰り返すと、筋肉にダメージが残り続け、ついには肉離れ、腱鞘炎《けんしょう》、ねんざなどの本格的な故障につながってしまいます。スポーツによる筋肉の疲れは、その日のうちに取り去ってしまうのが得策なのです。

筋肉損傷の修復を促進する一番の方法は、筋肉の血行を良くすることです。血液は修復のための細胞や材料を損傷部位に送り込み、逆に、損傷部分に生じた発痛《はっつう》物質や老廃物を洗い流すことができます。これにより修復は促進されるのです。血行を良くするには薬などを使う必要は全くありません。スポーツ終了後に使った筋肉をよく伸ばすストレッチを必ずやるべきです。

さらに、あまり時間をおかず、入浴することがお勧めです。体の汚れを落とすだけでなく、湯船にどっぷりと肩まで浸かってください。そして、5分間ほど浸かり続けてください。この間に、疲れた筋肉の血行が改善して、手足がジンジンしてきます。これが大事です。温かさで筋肉の緊張がとれ、心拍が高まることで筋肉に送り込まれる血液量が増えるからです。残念ながらシャワーではこの効果は得られません。

入浴とストレッチで、翌日の筋肉痛はかなり軽減されます。太鼓判です。

おかしいと思う前の「熱中症予防」

春から夏に向かう時期になり、気温が上がってくると話題になるのが熱中症です。人は常に熱を生じさせています。この熱を皮膚などから周りの空気に放出して、体温を一定に保つしくみが備わっています。ですから、気温が高くなると、熱の放出の効率が落ちてしまい、体に熱がこもるようになってしまいます。そうなると、体温が上がってしまい、それによって頭痛、めまい、悪心、嘔吐、失神などの症状が現れます。さらに、その状態を放置すると、死の危険性が出てくることになります。

もちろん、熱中症にならないための予防に心がけるべきです。しかし、熱中症は、「おかしい」と思ったときには、すでにかなり進行していることが多く、おかしいと思っているうちに急に気を失うといったことも珍しくありません。

熱中症が起こるしくみには脱水症が関係しています。気温が高くなり、熱の放出がしにくくなると、汗をかきます。汗が皮膚表面で蒸発し、それによって皮膚の熱を放出するようにするのです。さかんに汗をかいている間は、体温は上がりません。しかし、汗をかき続ければ、体の水分が失われて、汗の量が減ってきます。そうなると、体温が徐々に上がって熱中症になります。だから、気温が高い環境にいるときには、水分補給が必要となるのです。

体の水分が不足するとのどが渇きます。ですから、熱中症予防として、のどの渇きを感じたら、水を飲めばいいと思っている人が大半なのですが、実は正しくありません。飲んだ水が体に吸収されるには、数十分の時間を要します。その間に熱中症が急速に進むことも多いからです。

また、熱中症の初期には胃腸の運動が止まってしまうということがしばしば見られます。こうなると、飲んだ水は胃に溜まるだけになってしまいます。実は、胃は水を吸収する能力がないので、溜まった水はそのままになります。つまり、いくら水を飲んでも、のどの渇きは収まらず、脱水症は解消しないのです。

という訳で、熱中症の予防には、のどが渇く前から、あらかじめ水分補給をすることが大事です。一度にたくさん飲むのではなく、少しずつ、こまめに水分補給するのが肝要です。炎天下の現場で作業をする人は、とくに作業開始と同時に、水分補給を開始するのが得策です。

「内臓脂肪」がメタボをつくる

メタボリック症候群という言葉を聞いたことがある人も多いと思います。最近はメタボと省略されて使われることも多いようです。ただ、メタボリック症候群とは単純に太っていることを示す言葉ではありません。内臓脂肪が増えることにより、血液中の脂肪が増えたり、血圧が高くなったり、糖尿病一歩手前に陥ったりしている状態を示しています。

放置すると、動脈硬化が進行して、本格的に糖尿病となったり、脳梗塞、心筋梗塞など動脈硬化による重大な疾患が起こったりします。つまり、メタボリック症候群は病気ではなく、病気が起こりやすくなる状態を示している言葉です。

そもそも内臓脂肪とはどういうものでしょうか。人の脂肪は大きく二種類に分かれます。一つは、皮膚の下にある皮下脂肪です。この皮下脂肪がもっぱら溜まった状態の肥満は、メタボリック症候群にはなりません。もう一つの脂肪が内臓脂肪です。おなかの中に腸や胃を背中につなぎとめる膜があり、これを腸間膜と呼びます。この腸間膜には通常でもある程度脂肪が付着しているのですが、これを内臓脂肪と呼びます。

内臓脂肪が過度に付着して分厚い脂肪のシートのようになると、メタボリック症候群となるわけです。外観からは、「ポッコリお腹」と呼ばれるお腹周りが大きくなる状態になります。よく、肝臓に脂肪が溜まる脂肪肝という病気と、内臓脂肪を混同されることがありますが、まったく別なものなのです。

内臓脂肪は、単なる脂肪組織ではなく、体のエネルギー代謝を調節するホルモンを分泌する役割も持っています。内臓脂肪が増えると、このホルモンの作用が悪くなり、メタボリック症候群を引き起こすと理解されています。

内臓脂肪を蓄積しないようにするにはどうしたらいいのかというと、やはり、食べ過ぎない、適度な運動に心がける、お酒を飲み過ぎない、ということが挙げられています。つまり、単純に太らないようにするということです。

さらに、メタボリック症候群により動脈硬化が進み、重篤な病気を引き起こすので、動脈硬化を悪化させる喫煙はやめる必要があると考えられます。サウナや公衆浴場で、ポッコリお腹を見かけることが多いようです。皆さんもくれぐれもお気を付けください。

人体も「おこげ」化する！

こんがり焼けたトースト、きつね色に揚げたカツ、炊き立てご飯のおこげ、と挙げてみると、どれもおいしそうですね。これらをおいしそうに感じる理由の一つは、焼き色にあります。食べ物に熱をかけると、色が変わってきつね色になります。これをおこげと呼んだりします。では、おこげの正体は何でしょうか？

これは食品に含まれているタンパク質と糖質が熱によって結合し、新たな化合物を作り出していて、きつね色を発したものなのです。これをメイラード反応と言います。そして、タンパク質と糖質が結合することを糖化と呼びます。

実は糖化現象は、常温でも起こります。例えば、お味噌の色は、原料である大豆の色とは似ても似つかない茶色を基調とした色ですが、これは醸造中に時間をかけて引き起こされる糖化現象によってついた色なのです。

最近、糖化現象が人の体の中で起こることが明らかになりました。例えば、皮膚の色が年を取るにつれて黒ずんでくるのは、糖化現象であると指摘されています。また、加齢に伴い骨がもろくなってくる骨粗しょう症では、骨の中で糖化現象が少しずつ進んで、それによって骨の硬さが失われていくためだという考え方があります。

そして、血管の老化現象である動脈硬化は、血液中の糖質と血管のタンパク質の間で引き起こされる糖化現象であると考えられるようになりました。

血液中の糖質というと、糖尿病を思いつく方も多いと思います。糖尿病では動脈硬化が進行し、それによって脳梗塞、心筋梗塞、腎臓病、壊疽《えそ》などの深刻な合併症が引き起こされます。ですから、糖尿病では、合併症を引き起こす動脈硬化の進行を防ぐ必要があるのです。糖尿病では血液中の糖質が多くなっているわけですから、血管での糖化現象が起こりやすくなっていると考えられます。だから、動脈硬化が進行するのだと説明できるのです。糖化現象を防ぐには血液中の糖質を減らす、つまり血糖を下げることが絶対に必要なのです。

食べ物の糖化は、食べ物をおいしくするという効用があるのですが、体の中の糖化はろくなものではないという訳です。体の糖化を防ぐには、食べ過ぎに注意して、運動を行って糖質を積極的に消費することが必要なのです。

「老眼」は病気じゃない

「新聞の字が読みにくい」とか「暗がりでよく見えない」とかお感じになっている方はいませんか？　老眼（正式には老視）の典型的な症状です。でも、老眼は決して病気ではなく、白髪やしわと同じで、誰にでも起こる老化現象なのです。

目にはレンズの役割をする水晶体《すいしょうたい》があります。弾力性があり、厚くなったり、薄くなったりして、目のピントを合わせます。水晶体は、年齢と共に弾力性が失われて硬くなりピントが合いにくくなり、これを老眼と言います。実際は遠くも近くもピントが合いにくくなるのですが、読書やこまかい作業などで見えにくさを実感すると気が付く場合が多いようです。

実は水晶体が硬くなる現象は、20歳台ですでに始まっています。でもその変化はわずかなので、日常生活で不便を感じるようになるには40歳台に入ってからなのです。つまり働き盛りの中高年の方は、みなすでに老眼であると言えるのです。

近眼の人は老眼になりにくいと言われていますが、そうではなく、近眼の人も同じように40歳台で老眼が始まります。とくに近眼でちゃんと目に合ったメガネをかけている人は、メガネをかけていても遠くが見にくくなり、さらに今まで見えていた近くも見えづらいので、気が付くのが早いとされます。また、近眼で我慢をしてメガネをかけていない人は、もともと遠くが見えないので、気が付きにくいとも言われます。

老眼のもう一つの症状は暗がりでものが見えにくいことです。暗いところでは瞳孔が開く反応が起こり、光をよりたくさん目に入れて物を見ようとする反応が起こるのですが、これはカメラで言うと絞りを開いた状態と同じなので、被写界深度、つまりピントが合う範囲が狭くなるためだと考えられます。老眼になってピントが合う範囲が狭くなり、暗くなってもっと狭くなるという訳です。したがって、明るいところの方が、ピントが合って目が楽になります。

老眼というネーミングのせいか、老眼鏡を敬遠する人が多くいます。しかし、老眼を放置すると、肩こり、頭痛、吐き気が起こりやすくなり、さらに血圧が高くなることが分かっています。

体の健康のため、老眼鏡は常にするようにした方が良いのです。

「お年寄り」こそお肉を食べよう!

飽食の時代と言われる現在の日本。食べ物は豊富に存在し、必要な栄養素を摂取することにさほど手間はかかりません。肥満の人が増えている現状を見ると、むしろ栄養過多の人が多いと推定できます。しかし、そんな現代に、栄養失調となっている人たちが、少しずつですが、増えていると言われています。

必要な総カロリーは満たされているので、食べ物の量が足りないという訳ではないのですが、タンパク質の摂取量が不足している人が、とくにお年寄りで増えているというのです。新しい形の栄養不足として、新型栄養失調と言います。

なぜ、タンパク質不足になるのかというと、年を取ると、肉や魚を食べる量が減ってしまうからです。体の活動が低下し、食事をすること自体がおっくうになりがちです。そこで、簡単に食事を済ませようとします。

そうなると、手間のかかるおかずを作ることが省略されて、ご飯とみそ汁だけとか、めん類のみという様な食事を多くとることになります。こうして、タンパク質の摂取量が減るのです。

また、肉は脂肪が多く含まれていることから、脳卒中や心臓病などの生活習慣病を予防するために、肉を敬遠するお年寄りも多く、そのためにタンパク質不足になってしまうのです。タンパク質の摂取量が減ると、筋肉が痩せてしまいます。ただでさえ、老化現象として、筋肉量は次第に減っていくのですが、それにタンパク質不足が重なると、筋肉量は急激に減ってしまうことになります。

筋肉量が減れば、筋力が低下するわけなので、運動ができなくなります。そして、立ち上がる、歩く、といった日常の動作にも支障が出るようになり、ついには寝たきりになってしまう恐れがあるのです。

また、タンパク質不足は、骨にも影響して、骨粗しょう症を悪化させます。日常の動作で簡単に骨折してしまうことになり、これも寝たきりの危険性が高まります。

そこで、お年寄りこそ肉を積極的に食べるべきだというのが、最近の考え方です。気になる脂肪ですが、最近の研究で、食事に含まれるコレステロールは、血液中のコレステロール量にあまり影響を与えないことが分かってきました。少なくとも赤身のお肉なら、コレステロールを気にすることなく食べることができるという訳です。お年寄りはバリバリお肉です。

不足・減少を避けるには……

男性ホルモン対策

【減少の要因】
- ストレス
- 運動不足
- 肥満

▼

- ストレス発散
- 十分な睡眠をとる
- 運動習慣
- 肥満解消(減量)

&

【男性ホルモン不足を補う食べ物】

亜鉛	牡蠣、レバー、ウナギ、チーズ、納豆、牛の赤肉	
ビタミンB(アリシン)	ニンニク、ニラ、ネギ、玉ねぎ、ラッキョウ	

男性ホルモンは、成長期に男性としての体の構造を形作り、生殖能力を付与します。成長期を過ぎた男性の体内でも、依然として男性ホルモンの分泌が継続しています。その働きは、生殖能力の維持だけではなく、体格を維持し、体調を整えるという基礎的で重要な働きを担っています。男性にとって男性ホルモンは必要不可欠な存在なのです。

男性ホルモンは40歳台から次第に減少していきます。しかし、女性における女性ホルモンの減少と比べてゆっくりとしていることが多く、個人差が大きいことも分かっています。男性ホルモンが不足の状態となると、性的な能力の減退と同時に体調不良の状態となります。これがまさしく男性の更年期障害と言われるものです。

性的な能力の減退は勃起障害(ED)として現れてきます。更年期障害としての体調不良には、のぼせ、めまい、動悸、冷え性、頭痛など女性の更年期障害と同様の症状が出る場合もありますが、強い抑うつ(うつ病)、高血圧、腰痛、不眠など、中高年男性によくみられる症状も、実は更年期の男性ホルモン不足のために起こることが多く、注意を要します。

第4章
今日から意識する「生活習慣」

湯船で「疲れがとれる」しくみ

一日の勤めを終えたあと、ひと風呂浴びることが何よりの楽しみという人も多いと思います。ゆっくりとお湯に浸かっていると、体の硬さがとれて、気分もリラックスしてきます。それで、一日の疲れもとれると実感します。ところで、「疲れがとれる」というのはどういうことでしょうか?

お風呂が体に及ぼす効果としては、具体的にいくつか挙げられています。一つは、お湯に浸かることにより、その水圧が全身にかかり、お湯から上がるときに、その圧力がぬけることで、マッサージ効果が期待できるということです。

また、お湯に浸かっている間は体に浮力がかかっているので、体を支えるために、あまり筋力を使わないで済むということです。これは全身の力が抜けるという感覚で確認できることです。

さらに、お湯の熱により、皮膚が温められて、それに応じて血管が開いてきます。これにより皮膚に溜まってくる熱を、血液で運ぶことができます。体に熱が溜まって、体温が極端に上昇することを防ぐためです。血液で運ばれた熱は、お湯の外に出ている頭部に集まり、そこから熱を逃がすのです。

このように、マッサージ効果も、体の力が抜けることも、皮膚の血管が開くことも、体の血行を改善する結果となります。これが、疲れをとるのに有効だと考えられるのです。

そもそも、体の疲れというのは、仕事や運動によって体に生じる疲労物質が引き起こしていると考えられます。疲労物質と考えられるものは、白血球などから出るサイトカインや、神経から放出されるセロトニンがあります。さらに最近、これらとは別なタンパク分子が疲労時に体に溜まって、これが脳に疲労感を引き起こすという説も提唱されています。つまり、これら疲労物質が体からなくなれば、疲れがとれたということになるはずです。

全身の血行が良くなれば、体に溜まっている疲労物質は運び出され、肝臓などで処理されて減少していくと考えられます。血行を改善する一番の方法は、運動なのですが、これでは疲労物質をなくすかたわらで、新たに疲労物質を作っていることになって、疲れはとれにくいわけです。体をなるべく動かさないで、血行を改善する簡単な方法が、お風呂ということになるのです。

お風呂で流れ出した疲労物質を完全に処理するためには、休息が必要です。だから、お風呂に入った後は、ゆっくりして、体の熱がとれたところで睡眠に入るのがお勧めです。

「寝だめ」はできずに睡眠負債へ

明日は日曜日、久しぶりに家でゆっくりできるので、寝坊しようと考えます。来週も色々忙しく、睡眠も十分にはとれそうもないので、寝だめだ……。翌朝、10時ごろにようやく目が覚めます。よく寝た感じがあり、何か得した気分。これで月曜日から頑張れそうです。ところが、月曜、火曜と仕事などが立て込んで、睡眠時間が4、5時間のことが続きます。やはり目覚めは悪く、もっと眠っていたい気持ちが残ります。日曜日に寝だめしたはずなのに……。

結論を言うと、寝だめはできません。事前にいくら眠っても、毎晩、適切な時間の睡眠をとらないと、寝不足の状態になるということです。そもそも睡眠はなぜ必要なのかというと、脳を休ませるためです。一日中使い続けた脳には、相当な疲労が蓄積していると考えられます。

ですので、徹夜をすると、次第に集中力を失い、作業の効率は落ちてしまい、作業のミスや、文章の間違い、言い間違いなどが多くなります。この脳の疲労は睡眠によってのみ、取り除くことができると考えられます。事前にいくら睡眠をとっても、その後目が覚めている間に、脳には確実に疲労が溜まるので、毎日睡眠は必要だということです。

では、どのくらいの睡眠時間が適切なのかというと、これには非常に大きな個人差があります。毎日、3、4時間で十分な人もいれば、8時間、9時間と眠らないと、体調がすぐれない人もいます。日本人の平均睡眠時間は7・5時間程度とされていますが、これは、毎日、仕事、家事などをこなした上での時間ですので、必要な睡眠時間はもう少し長い可能性があります。

一方、睡眠不足とは、脳の疲労が取り切れない状態を指します。こうした脳の疲労は蓄積する危険性があり、睡眠負債と呼ばれます。つまり慢性的な睡眠不足は、脳に疲労が溜まって、体調に悪影響を及ぼすのです。最悪の場合、うつ病やがん、認知症の原因となりうることも指摘されています。

残念ながら睡眠は、「借金」はすぐに溜まるけど、「貯金」できないという、実に厄介な代物なのです。寝だめは生体リズムの乱れを起こし、次の夜に眠気が出にくくなり、寝付けなくなって、かえって寝不足になることも指摘されています。やはり休日であっても、規則正しい生活が基本なのです。

「昼下がりの眠気」は宿命

昼休みを終えて、午後の仕事のスタート。心機一転、どんどん仕事がこなせるはずと、誰もが思っています。ところが、午後2時に近づくころから、しだいに頭の中がぼんやりとして、集中力がなくなります。うっかりするとウトウトとして、はっと気がつく。もし、折り悪く会議中だったら、間違いなく夢の中へ……。

昼下がりの眠気は誰でも経験するものです。もちろん、前日の睡眠不足が大きな原因であることは間違いないのですが、充分睡眠を取っているはずの休日の昼下がりに、やっぱりうたた寝をしてしまうことも多いのです。昼食を食べ過ぎたから眠くなると信じている人もいますが、食事の量を減らしてもあまり効果はありません。

実は、人の睡眠のリズムには2種類あって、夜に眠気が来る通常のパターンの他に、午後2~3時ごろに脳機能が一時的に下がって、眠くなるしくみが備わっているのです。

例えば、動物園へ行ってみてください、昼間の動物たちはヒマ（?）さえあれば、昼寝していています。動き回るのはえさを食べるときや、周りを警戒しているときなど、理由があるときです。用がないのに起きているのはエネルギーの無駄というわけです。昼に仕事をするようになった人間にもこのしくみは残っていると考えられるのです。昼下がりの眠気は宿命なのです。それを経験的に知っているスペインの人々は、シエスタと称して昼休みを長くとってお昼寝をして、スッキリとした夕方に働くようにしているのです。シエスタは暑さを避ける意味だけではないのです。

昼の眠気は気合いが足りないからではないと分かったからには、対処法が必要ですね。よく、工事現場の皆さんが昼食をとったあとすぐに仮眠に入っているのを見かけますが、非常に理にかなった対処法と言えます。眠いままの工事では危険この上ありませんから。この方法は、デスクワークの方々にも採用していただきたいと思います。

昼休みの終わりにデスクの前で10分か15分ぐらい仮眠をとることがお勧めです。これで眠気は間違いなく解消します。本当は、仕事中に眠気に襲われたら、すぐに10分ぐらいの仮眠をした方が、それ以後の集中力が断然違うので、結局効率的なのです。仕事中の仮眠を許可する社長さん、増えませんかね？

「ウォーキング」が足りない

ビジネスマンは、とかく運動不足になりがちです。運動不足になると、どうしてもお腹周りが気になってきます。スタイルもそうですが、肥満は万病の元でもあります。なんとか肥満を予防する必要があります。かといって、忙しければ、休日にスポーツをしたりジムに通ったりするが関の山。結構、真剣にスポーツをしていても、お腹の厚みは微動だにしない方も多いようです。

運動は一時期に集中しても効果は薄いものです。できれば、軽い運動でもいいので毎日続けるようにした方が、効果があることが分かっています。そこで、お勧めなのが歩くこと、今風でいえば「ウォーキング」です。

厚生労働省の国民健康栄養調査によると、日本人は1日に平均して男性が7233歩、女性が6437歩、歩いています。ただ、健康を維持するには、男性で9200歩以上、女性で8300歩以上の歩行が推奨されていますので、まだ、歩き足りないということになります。

そこで、一つの目標として1日1万歩を目指すことが合い言葉になりつつあります。つまり1日に3000歩程度余計に歩くようにしようというわけです。今は、廉価で手軽な万歩計がたくさん出回っていますから、歩数を数えるのは苦もないことです。歩数を増やすためには、例えばエレベーターやエスカレーターは使わないで階段を上り下りする、通勤にマイカーを使わずに、公共交通機関を利用する、といったことでも効果があります。すでに公共交通機関を利用して通勤している人でも、歩数をさらに増やす手立てがあります。それは、目的の駅やバス停の手前で降りて歩くという方法です。

例えば、札幌の地下鉄の場合、駅間距離は平均で1・04キロメートルです。これを70センチの歩幅で歩いたとすると、1485歩、歩けることになります。朝の通勤では職場の一つ前、帰りは自宅近くの駅の一つ前で降りて歩いたとすると、それだけで、不足の3000歩を補い、1日1万歩が達成されるという具合です。もし、バスならば、町中のバス停間の距離はおおむね300メートルということですので、3停留所手前で降りれば、1日で3000歩近く歩ける算段になります。

そういえば、札幌駅前の地下歩行空間を歩いている人、多いと思いませんか?

夜ごとの「中途覚醒」は要注意

夜、眠りについて目が覚めると、まだあたりが暗く、時計を見ると、真夜中だった、という経験はおありでしょうか。大抵は、そのまま床の中でじっとしていれば、再び眠りにつくのですが、たびたびとなると気になるところです。この現象を中途覚醒と言います。中途覚醒は不眠症、うつ病、睡眠時無呼吸症候群などの病気と関連があり、注目されている症状なのですが、一方で、誰にでも起こっているごくありふれた現象でもあるのです。

睡眠研究の統計によると、健常な人でも平均して一晩に1・5回は中途覚醒が起こることが分かっています。子どものころは、さらに少なく、平均で1回未満ですが、中高年では2回ぐらいと見積もられています。健康なときの中途覚醒は、再び眠るまでの時間が短くて、瞬間の場合もあり、本人も起きたことを忘れてしまうほどです。

ですから、若いときは起きなかったのに、最近はよく目が覚める、といって気にされているベテランビジネスマンのお話をよく伺います。しかし、中途覚醒からなかなか寝付けないのでなければ、気に病む必要はないと考えます。人は数日眠れなかったとしてもそれだけでは病気にならないことが実証されていますので、安心してください。

ただ、夜ごと中途覚醒がある人は、お酒が原因である危険性が高くなります。とくに、寝酒と称して、お酒を飲まないと寝付けないと信じて（?）いる人です。確かにお酒を飲むと、アルコールの麻酔作用（催眠効果）によって、寝付きが良くなります。しかし、飲酒後の睡眠は、アルコールやその代謝物であるアセトアルデヒドなどの影響で、睡眠が深くなりにくく、浅い眠りが続くことが分かっています。ですから、就寝後1、2時間で中途覚醒となってしまうことが多いのです。その際、アルコールの影響が残っていると、再び眠るまでの時間が長くなることも指摘されています。

つまり、アルコールは睡眠の質を低下させるということです。ですので、寝酒はあまり推奨できません。飲み終わってから1、2時間たってから就寝する方が、結果的には良い眠りになります。

まあ、あまり深酒するなということですが、とくに、眠る前にぐっと1杯飲むというのは、やめていただくのが賢明です。

「座り過ぎ」の悪影響

最近、「座り過ぎ」が問題であると認識されるようになりました。デスクワーク、車の運転、電車の中、家での団らんなど、座っている時間は思いのほか多いものです。ある調査によると、日本人が一日で座っている時間は合計7時間ぐらいで、世界で一番長く座っている国民なのだそうです。そして、一日8時間ぐらい座っている人は、がん、糖尿病、高血圧などを発症する危険性が、一日4時間ぐらい座っている人に比べて高いことが分かったのです。座り過ぎは危険なのです。

座るということは、体に負担をかけない行為だと信じられてきました。何か仕事をしていて、一息つくときは椅子に座るものです。実際、座っている間は足の筋肉はまったく活動を停止していて、休んだ状態になっています。

でも、この筋肉を全く使っていない状態が、逆に、体に悪影響を与えているのです。10年くらい前から問題視されているエコノミークラス症候群もその一つです。同じ姿勢で長い時間足を動かさないでいると、足の静脈で血液がよどんで血栓ができ、それが肺に詰まって、胸痛や呼吸困難、死の危険性が生じるものです。

座り過ぎると、必ずエコノミークラス症候群になるわけではありませんが、危険性はあります。さらに、足の筋肉が活動停止していると、その分、エネルギーを消費しないことになるので、肥満の傾向が強くなり、生活習慣病が起こりやすくなると推測できます。

さらに日々の運動習慣が、脳の活動を活性化させることが分かっていますので、座り過ぎは必然的に脳への悪影響を及ぼすと考えられます。実際、座り過ぎでは脳の活動が低下傾向になる、すなわち「ぼーっ」となりやすいという研究結果も出ています。

座り過ぎは良くないとしても、仕事の時間を減らすわけにもいきません。そこで、対策としては、30分に1回の割合で、トイレやお茶などで席を立つように心がけることです。喫煙自体は勧められませんが、喫煙のとき、立ったままでいるというのも一つの方策です。立っているだけで、足の筋肉はかなり使うことになるからです。

欧米で流行りだしているのは、立ったまま仕事をすることです。書類もパソコンも立ったまま。これが意外と仕事の効率も高まるのだそうです。そういえば、欧米のバーは椅子がありませんね。

あなたの「就眠儀式」は？

出張などの旅先で、疲れているはずなのに、なかなか寝付けないという体験をお持ちの方がおられると思います。「枕が変わると眠れない」という言い方もされます。旅先はどうしても緊張するものだから、その緊張で眠れないという考えもあります。

そこで、緊張をほぐすつもりで、お酒を飲んでから眠りにつく人もいます。でも、お酒は意外と効果がなく、首尾よく眠りについても、1〜2時間も眠ると目が覚めてしまい、そのあとはむしろ目がさえてしまい、朝までまんじりともせずに過ごすなんてことも、実はあるのです。私の業界では、やたら出張が多いのに、旅先で寝付けないことに悩んで、睡眠導入剤を使っている医者もいます。結構、みんな苦労しているようです。

旅先で寝付けない理由の一つとして、「就眠儀式」ができないためだという考えがあります。人にはそれぞれ寝付くまでに、決まった行動があり、そのリズムの中で脳が眠りに入っていくということで、就眠儀式と呼ばれるのです。

例えば、明かりをつけていないと眠れない、本を読まないと寝付けない、テレビを見ながらでないと眠れない、などというのは立派な就眠儀式なのです。私の知り合いに、目がさえるはずのコーヒーを1杯飲まないと寝付けないと言う人がいました。本当に、習慣というのは不思議なものです。

そこで、旅先で寝付けないことを防ぐ対策として、自分の就眠儀式を確認しておくことはいかがでしょうか。本、テレビ、明るさ、色々思い当たることがあるはずです。旅先で、それを試すのです。旅先で眠れないからといって、普段は明るい部屋で眠っているのに、ことさらに部屋を暗くして寝ようとしないことです。

ただ、就眠儀式がお酒である人は、今後の継続はお勧めしません。先に述べたように、お酒は寝付きをよくしますが、すぐに眠りが浅くなる効果があり、夜中に目が覚めることが多いからです。これでは、旅先の疲れは取れなくなってしまいます。出張先で夜に1杯やるのは楽しみでもあるわけですが、眠りにつく1～2時間前までに切り上げて、ゆったり眠りにつく方が効果的だと思われます。

飲み過ぎて記憶が定かでないような眠り方は、脳に悪影響があるので、くれぐれも避けるようにお願いします。

「朝の光」で体内時計の調整を

朝、なかなか目が覚めず、危うく遅刻、という経験を持つ方は、たくさんおられると思います。たびたびそういう目に会うので、「朝は苦手」と思っている方もおられるでしょう。一方、朝は早起きして、会社にも余裕で出社。朝が一番快調だと、早々に仕事に取り掛かる人もいます。こういう差は、どこから来るのでしょうか？

もちろん、前夜に飲み会などがあって、夜更かししたのなら、朝起きられないのは納得です。しかし、前夜、家で過ごしているのに、次の朝起きられない人も多いようです。こうした方は、昼夜一日の変化に対応している体内時計と呼ばれるしくみに狂いが生じている可能性があります。体内時計が狂うと、夜、12時を過ぎても眠気が差さず、つい夜更かしになり、逆に朝は、眠りから覚めにくくなるという症状になります。おそらく、残業やお付き合いなどが延々と続くうちに、体内時計が狂うのでしょう。

さて、その対処法ですが、早く起きようと思って、早めに床についても、眠気が差さなければ、床の中で悶々《もんもん》とするだけ。眠れないことが気になって、却って目がさえてしまったりします。対処のポイントは朝にあります。体内時計は、全く独自に動いているのかというと、そうではありません。日の光を浴びることで、体内時計は調節されるしくみがあります。だから、地球の裏側に行って、初めは時差ボケでひどい目に会っても、１週間もすれば、現地の朝晩のリズムに合うようになるのです。

とくに大事なのは、人は眠っている間も周りの光の量を目で常に感じ取っていることです。試しに、まぶたを閉じて天井に顔を向けてみてください。何となく明るさを感じて照明がついていることを確認できるはずです。ですから、朝、起きるべき時間に朝日を浴びながら起きるようにするのが効果的なのです。

体内時計が狂っていると思われる方は、寝室に問題があります。例えば、窓のない部屋だったり、窓に厚めの遮光カーテンをしていたりする場合です。これでは、朝の光を浴びることができないので、生体時計が調整されず、目が覚めないということになりがちなのです。ですから、寝室は東側に窓がある部屋にすべきで、カーテンは薄目がお勧めです。そうすれば、夜が明けると自然と部屋の中に朝の光が満ちて、自然と目が覚めていくようになります。

「サウナ」の誤解

ビジネスマンの健康法の一つにサウナがあります。日帰り温泉などの浴場には必ず設置されていて、手軽に利用できるところが人気の秘密です。

体に対するサウナの効用とは、ひとえに血液循環を促進することにあります。血の巡りが良くなると、色々な効果が得られます。まず、筋肉の疲労からの回復が早くなります。また、肩こりや腰痛などは、患部の血行不良が原因であることが多いので、サウナは症状の緩和に一役買うわけです。

一方、たくさん汗を流すので、体に溜まった水分と塩分が抜けます。これは体のむくみの解消に役立ちます。そして、忘れてはいけないのは、サウナは暑さと発汗によって、軽い運動をしているのと同じ状態になるので、サウナを上がると、運動を終えた後と同じような爽快感を味わうことができ、精神的にリラックスする効果が期待できるということです。

ところが、サウナはこの爽快感があだになったのか、色々と誤解が流布しているのです。

まず、衝撃の事実かも知れませんが、「サウナに入って、体の老廃物を汗として体の外に出す」ことは全くできません！

元来、汗の成分に血液中の老廃物が混じる可能性はないのです。汗はおしっこと同じ塩分を含んでいることから、おしっこのように老廃物も出せると誤解されているために、サウナで老廃物が出せるという迷信が生まれたのだと思います。体の老廃物は、あくまで腎臓がおしっことして出すものです。サウナで血液循環が良くなると腎臓での老廃物処理の働きが高まりますから、サウナの後に水分を補給してたくさんおしっこを出せば、ある程度の老廃物はおしっことして出ると思いますが……。

もう一つ、サウナで体重が減るのは、あくまでも水分が汗として出たためです。そのため、サウナ上がりに水分補給をすると、体重は次第に戻って行きます。しかし、全く減らないかというと、そうではありません。サウナはお風呂に入ることと同じぐらいの1時間で約170キロカロリーは消費するので、ウォーキングと同程度の運動量は期待できます。サウナに入る人の中で、体重が増えるのを嫌って水分補給しない人がいますが、これはとても危険なので、やめてください。

サウナは気分転換を第一の目的にして利用するのが基本です。

「食事と入浴」の理想の流れ

　昔、ホームドラマなどで見かけた風景です。夕方、一家の主がご帰宅。お出迎えの奥様が、「お風呂になさいます？　それともお食事？」と尋ねます。主は尊大にも「風呂！めし！」と短く言い放つ……。亭主関白そのもの。現代では、まず間違いなく消え去った風景です。ところで、入浴と食事、どちらを先にした方がいいのでしょうか？　おとなの養生訓としては、はっきりさせておきたいところです。

　まず、食事を先に済ませたとします。そのあとすぐに入浴をするのは、消化吸収の妨げになることが指摘されています。入浴をすると、体温調節のために、皮膚や手足に血液が多く流れ込んで、消化管への血液の供給が減るためだと説明されています。そこで、食事を済ませてから、ある程度消化吸収が進行した後、つまり2時間程度たってから入浴すべきとされています。

　一方、入浴してすぐに就寝しても、なかなか寝付けないということが起こりがちです。これは、入浴によって体温が一時的に高まって、それにより脳が活性化されて、眠気が差しにくくなるためです。ですので、入浴後1、2時間たってから就寝した方が良いとされています。

こうして考えると、もし午後6時に帰宅してすぐに食事をとったとすると、どんなに早くても午後11時以降じゃなければ就寝できないことになります。ましてや、帰宅時間がもっと遅くなる忙しいビジネスマンにとっては、就寝が深夜になってしまうことになります。

そこで、帰宅後、すぐに入浴したとします。入浴後すぐに食事をとったとしても、悪影響はありません。食事をした後、すぐに就寝するのは消化吸収の妨げになりますし、食べたものが体に溜まる一方なので、体重が増える一因ともされています。そういう訳で、食事をしてから、消化吸収に要する2時間ぐらいをゆっくり過ごして就寝するのが理想的です。でも、この順番なら、全体で3～4時間ぐらいになるので、帰宅が遅くても何とかなりそうです。

「風呂が先、めしが後」がおとなの養生訓なのですが、食事もお風呂も用意してある状況でなければいけませんので、あくまでも理想に過ぎません……。

現役世代から「運動習慣」を身に付けて

　がんや糖尿病などの生活習慣病に悩む人が増えています。生活習慣病は、食事、飲酒、喫煙など、生活習慣の偏りが長年積み重なって引き起こされると考えられています。ですから、生活習慣を見直すことが生活習慣病を予防する、有効な手立てであると言えます。お酒を減らす、禁煙する、食べ過ぎを避ける、などの方法が考えられます。どれも我慢を強いるものなので、実行にはハードルが高いと言えます。

　最近、生活習慣病の予防策として、運動習慣を身に付けることが推奨されています。日夜忙しく働いているビジネスマンは、とかくスポーツなどを楽しむ時間が少なくなり、運動不足に陥りがちです。運動不足は肥満の原因となるわけですが、肥満は糖尿病、高血圧、などの生活習慣病を引き起こす主な原因と言えます。また、運動習慣を身に付けている人は、そうでない人に比べて、生活習慣病を発症する危険性が低いということも明らかになっています。

　では、具体的にどの程度の運動をすると運動習慣と言えるのかというと、週に2回、1

回につき30分以上の継続した運動を行うこととされています。週に2回というと、週末に運動をして、平日にもう1回運動をすれば良いことになり、それほど難しいことではないことが分かります。運動の種類は手軽なもので良くて、運動の強さは関係ありません。30分以上継続できる運動が良いので、ジョギング、サイクリング、水泳などで十分だとされています。ウォーキングでも有効であるとされています。週2回30分以上のウォーキングというと、誰でもすぐにでも実行できますね。

このような運動習慣を持っている人がどのくらいいるのかという厚生労働省の調査があります。日本では男性の30％、女性の25％の人が運動習慣を持っていることが明らかになりました。

ところが、65歳以上に限ってみると、男性は42％、女性の36％と、割合が増えています。一方、20歳から64歳の現役世代では男性は21％、女性で18％と割合が下がってしまうのです。とくに30歳台では10％程度に落ち込んでしまいます。生活習慣病が起こりやすい世代で運動習慣が身に付いていないのです。

現役世代の皆さん、生活習慣病予防のため、運動習慣を身に付けることから始めませんか？

「朝風呂」の功罪

朝はとかく忙しいものですが、それでも朝風呂に入る人がいます。朝シャンプーや朝シャワーもかなり一般的になりましたから、どうせならと湯船に浸かる人もいるでしょう。前の晩に遅く帰宅して、風呂に入らずにすぐに寝てしまったということもあるのでしょう。ところで、朝にお湯に浸かることは、体にはどのような影響があるのでしょうか。

まず、効用とされる点としては、目覚めを促し体の動きを良くするということがあります。とくに熱めのお湯に浸かると交感神経が活動し、全身の血の巡りが良くなります。これにより頭や体が「目覚める」という訳です。また、血行が改善すると新陳代謝が促されますので、カロリー消費が進みます。その効果が朝により強くなるという説があり、ダイエット効果が期待できると言われます。就寝中は結構汗をかくので、体の汚れを落として、清潔な体で一日がスタートできることも効用の一つでしょう。

一方で、弊害も指摘されています。一つは、ぬるめのお湯に浸かると、副交感神経の活動が活発になり、体がリラックスモードになる可能性があることです。つまり、なんとなく体が重く感じ、朝に順調なスタートが切れなくなるということです。

元来、朝は日中に備えて交感神経の活動が高まってきます。そこで熱めのお湯に入ると、交感神経の活動はますます高まり、血圧が上がり心臓に負担がかかります。ですので心臓病や高血圧の持病がある方にはお勧めできません。

また、就寝中に相当量の水分が失われますので、朝の体は基本的に水分不足になっています。そこで入浴すると脱水状態に陥る可能性があるので、とくに脳梗塞の危険性が高くなります。

さらに、入浴後は血管が開いて体の熱が失われやすくなっていますので、入浴後に外出すると体が冷えてしまう可能性があります。

というわけで、朝風呂は功罪相半ばするというところです。私としては温泉宿の朝風呂なんかとても好きですし、結構、朝にシャワーを使うことも多いので、朝風呂は否定しません。40〜41℃ぐらいの適温でサッとお湯に浸かって、上がった後の湯冷めをしないようにして、給水を心がければ、さわやかな朝のスタートになるのではないでしょうか。

脱肥満！ベストな身体状態を目指すために
「理想」の食事メソッド

なぜ中年太りになるのか、この謎を解くカギは、同じ調査にある各年代での摂取カロリーの数値を見ると分かります。20代から50代まで、男性で一日あたり2100キロカロリー前後、女性で1900キロカロリー前後の摂取量となり、各年代でほとんど変わりません。つまり、皆さん若いときに身についた食事量を取らないと満足しないということです。ところが、体の消費カロリーは年代とともに減っていくのです。それは仕事が忙しくて運動しないから、という理由もあるのですが、それ以上に一種の老化現象として、消費カロリーは減っていく運命なのです。

早食いも肥満の原因の一つです。人は食事をして満腹感・満足感が得られると食べ終わります。この満腹感は、決して胃が食べ物で一杯になった感覚ではなく、実は、脳で感じるものなのです。脳の奥深くにある視床下部には血液中の糖分の量、つまり血糖を常に監視するしくみが存在しています。血糖が増えて、ある程度のレベルに達すると、このしくみがはたらいて、「満腹感」を脳全体に伝えることになっているのです。もう十分なエネルギーを手に入れたから、食べるのをやめようという合図です。早食いをすると、血糖が十分に上がって満腹感が出るまでに、より多くの食べ物を食べてしまうことになるので、過食の傾向が強くなります。一方、ゆっくりとよく噛んで食べていると、血糖が上がって満腹感が出た時までの食事量が比較的少量にとどまることになります。

朝	**朝食** しっかりとるとエネルギー供給が増え、体が目覚めていく。仕事の効率倍加が期待でき、昼食を減らせる ●朝食と昼食の間： 間食をしない。水分補給は可
昼	**昼食** 大量に食べないように。食べ過ぎは午後の仕事の効率を悪くする ●昼食と夕食の間： 夕食が遅くなりそうなら、少量のおやつは可、なるべく甘くないお菓子（せんべい、スナックなど）をとる
夜	**夕食** カロリーを抑えたいときは炭水化物に注意！

第5章

人生を豊かにするための「知恵」

「リンゴは医者を遠ざける」のか？

「1日1個のリンゴは医者を遠ざける」ということわざがあります。これはイギリスのウェールズ地方のことわざで、英語では「An apple a day keeps the doctor away.」と言います。私は中学の英語の教科書に載っていたのを覚えています。確か「keep away」の言い方の例文として使われていたように記憶しています。でも、リンゴが健康にいい食べ物だということに興味がいってしまい、試験では点数が取れなかったような……。果たして、リンゴは健康に良いのでしょうか。

数年前に、このことわざを検証すべく、イギリスのオックスフォード大学で興味ある研究が行われました。高脂血症の治療薬であり、わが北大からノーベル賞を受賞した鈴《すず》木《き》章《あきら》先生が開発に貢献した、スタチン系薬剤とリンゴの効果を比較するという意欲的（？）な研究です。

50歳以上の人を対象に、「1日1個のリンゴ」を食べ続けて、薬を飲まなかった人と、スタチン系薬剤を使用して、とくに「1日1個のリンゴ」を実践しなかった人を比べると、両方ともしなかった人たちに比べて、循環系疾患（脳卒中や心筋梗塞など）による死亡率が双方とも同程度に低下したというのです。スタチン系の薬剤は、低い確率ではありますが副作用が出る恐れがありますから、リンゴは極めて優秀ということになります。

リンゴは食物繊維が豊富です。これは糖分の吸収を緩やかにして、血糖の上昇を抑え、ダイエット効果が期待されます。食物繊維を多くとると、腸内細菌の環境が整えられて、肥満予防やがん予防効果も期待できます。また、ポリフェノールが多く含まれており、抗酸化作用があると考えられています。抗酸化作用は細胞を保護して、動脈硬化やがんの発生を抑えると言われています。もちろん、ビタミンBやCが豊富な食べ物です。リンゴは結構優秀な健康食品であるのです。こうしたことが、先の研究結果の原因なのかもしれません。

そういえば、アメリカに留学していたとき、周りの若い研究者たちはランチ用にリンゴを丸ごと1個持ってくる人が多かったことを思い出しました。あとは簡単なサンドイッチ一つです。あまりにシンプルなランチに驚いたものですが、「リンゴ1個」がキーポイントだったのかもしれません。

昔からのリンゴの名産地であった、生まれ故郷（滝川市江部乙町）の出身者の集まりに顔を出して、楽しく語らっているときに、ふと、そんなことを思い出しました。

「飛沫」こそ感染源そのもの！

新型コロナウイルス感染に関係して、飛沫《ひまつ》感染という言葉がよく使われるようになりました。そこで飛沫について考えてみたいと思います。

飛沫は「しぶき」とも読みます。くしゃみやせきの強い気流に押されて、唾液や鼻水、たんといった、鼻腔、口腔、咽頭などにある粘液が、霧状に飛び出したものを飛沫と呼びます。飛沫はしゃべったり、歌を歌ったりしてもたくさん出ることが分かっています。飛沫は水滴のような大きなものから、肉眼では見えないくらい細かくなって空気中を漂えるものまで、様々な大きさのものが一気に飛び出します。

飛沫の大部分は水分ですが、元が粘液であることから、ネバネバ成分であるムチンや粘膜の細胞の一部などが含まれています。そして、新型コロナウイルスは鼻、のどの粘膜に取り付き増殖するので、大量のウイルスが飛沫に潜んでいます。飛沫こそ感染源そのものなのです。

くしゃみやせきによって飛び出した飛沫の到達距離は1メートルほどと言われます。そして、空気中に放出された飛沫のほとんどは、その重さによりすぐに落下します。床や地面に落ちた飛沫は乾燥し、ウイルスは乾燥した状態で次々に壊れていきます。床や地面に口や鼻を押し付けることはないでしょうから、落ちた飛沫はほとんど無視していいと思われます。

したがって、飛沫が到達する距離の1メートル以上離れていると、飛沫を直接浴びて感染する危険性はなくなります。そこで、さらに慎重に考えると、1・5メートルから2メートル離れていれば安全だということで、密集、密接を避けるキャンペーンがなされました。ただ、飛び出した飛沫の一部は、非常に細かいので、落下せずしばらく空気中を漂うことになります。これをエアロゾルと呼びます。通常は、エアロゾルは非常に少量で、風など空気の流れでたちまち拡散してしまうので、危険性はありません。

しかし、密閉された風通しの悪い空間では、漂っている時間が長くなり、他の人がエアロゾルを吸い込み、感染してしまう危険性が高まります。密閉を避け、風通しを良くしなければならないのは、このためです。

密閉、密集、密接の「三密」を避けようという呼び掛けがありますが、飛沫による感染を防ぐために、極めて重要な注意点であることをご理解ください。

なぜ酔うと「記憶」がなくなるのか

はっと気づいて目が覚めます。自宅の布団の中です。昨日、宴会でお酒を飲んでいたはずですが、どうやって帰ってきたか、全く分かりません。でも、ちゃんと服を着替えて、布団の中に入っています。恐る恐る家族に尋ねます。相当に酔っぱらっていたことは指摘されますが、ちゃんと自分で着替えたというのです。心配になってお財布を確かめると、ちゃんと宴会の会費を払っているようです。タクシーのレシートもあります。でも、２次会の途中から全く思い出せません……。

アルコールは脳に対して一種の麻酔作用を示します。ある程度の量では、脳の活動を適度に抑えている抑制性神経を麻酔するので、むしろ気分は開放的になり、陽気になったり、感情が抑えきれなくなって、怒りっぽくなったり、泣き始めたりします。

さらにアルコールが増えると、今度は脳全体に麻酔がかかり始め、判断力や注意力が失われてきます。さらに飲み進めると、記憶する力が失われてきます。物事が起こったときには覚えているのですが、そのあとで、起こったことを思い返そうとしてもできなくなるのです。アルコールのために、記憶を長く頭にとどめておくことができないのです。

これをアルコール性記憶障害と言います。酔う前のことは覚えていますので、そこからお酒が醒めるまでの間の記憶がすっぽりと抜け落ちることになります。だから、ブラックアウトと呼ばれたりもします。また、酔っている間の記憶がところどころ残っている人もいます。

実は、酔っているときに何もわからなくなっているのではありませんから、周りの人から見ると、酔ってはいるけど、ちゃんとしている、問題ないと思われていることの方が多いのです。現にお金もちゃんと払うし、自分で普通に歩くし、楽しく会話するし、タクシーに乗って住所を告げて、帰ることができるのです。でも、そのことを覚えていないのです。そうすると、本人は相当に不安になり、困惑するのです。

アルコール性記憶障害だけでは、周りとトラブルを起こすことは少ないかもしれませんが、やはりアルコールが脳に障害を与えた状態ですので、芳しいことではありません。たびたび記憶を失う人は、軽いとはいえ脳にダメージが蓄積すると考えて、お酒を控えることをお勧めします。くれぐれもご用心を。

「加齢臭」は減らせる！

中年以降の男性に特有の体臭があることは、昔から指摘されていました。そして、それは皮膚表面に分泌される皮脂や汗に含まれる特有の成分に起因することが分かりました。そこで、この体臭のことを加齢臭と名付けたのです。

そのにおいは、青臭い脂のにおいで、ろうそく、チーズ、古本のにおいに例えられています。こうしてにおいの例えを並べてみると、さほど問題にはならないような感じも受けるのですが、昨今は、香料、化粧品、ボディ洗浄剤から洗濯用洗剤に至るまで、加齢臭対策と銘打った商品が続々出てきて、やはり、一般的には加齢臭はない方が良いものととらえられているようです。

加齢臭を生じる物質をノネナールと言います。人の体内に存在する脂質の一種が皮膚上の雑菌により分解されて生じるものです。この分解が中年以降に盛んになると考えられています。実は、その後の研究で、閉経後の女性でもノネナールが増加することが明らかになりました。おじさんだけの話ではなかったのです。

中年になっても加齢臭がほとんどない人もたくさんいるので、加齢臭は少なくできるものであると理解されています。加齢臭が強くなる原因として挙げられているのは、シャワーで流すのみの体洗い、たばこ、二日酔い、などです。とくに石鹸を使わないのはだめで、やはり、頭や体をよく洗い流して、ノネナールが生じる隙を与えないのが得策のようです。

とりわけ、愛煙家において加齢臭が強くなるという指摘があります。しかし、たばこの成分とノネナール発生の間の因果関係は全く分かっておりません。愛煙家は「たばこ臭い」に決まっています。たばこを全く吸わない人には、すぐに分かるのがたばこのにおいなのです。したがって、たばこのにおいと加齢臭が一緒になると、他の人により不快な感じを与える危険性はあります。

一方、二日酔いの原因であるアセトアルデヒドは、ノネナールの原料になりうるということも、分かっています。したがって、深酒は加齢臭を強くする危険性があるのです。

中年以降に飲酒喫煙をしているのは、男性の方が女性より圧倒的に多いわけで、加齢臭といえばおじさんという誤解が生じるのは、無理からぬところなのかもしれません。加齢臭が気になるあなた、とりあえず禁煙してみてはどうでしょうか。

11月は「気分が下がる」？

　実は、私は11月が苦手なのです。10月の末か11月の初旬に初雪を迎えると、急速に寒くなっていきます。９月から10月は、日暮れが一段と早く感じます。勤務時間中に日が暮れてしまうようになると、気分がすっかり萎えてしまいます。街路樹はすっかり葉を落としてしまい、街はモノトーンとなり、沈んで見えてきます。車のタイヤ替えも面倒くさく感じてしまいます。何かにつけて気分が下がることが重なってしまうからです。

　これが、12月となると、気分は全く変わってきます。街は雪に覆われて、俄然明るく見えてきます。そうなると寒さも逆に身が引き締まる感じがして、嫌でなくなります。年末ですから、街も明るく飾られています。

　忘年会、クリスマス、年越しと、行事が立て込んでいて、息つく暇もありません。お歳暮のやり取り、年賀状書きもあります。年末の休暇とお正月への期待感もあって、気分はどんどん盛り上がっていきます。私が極端なのかもしれませんが、12月との対比もあって、11月が近づいてくると、なんとなく気分が下がり始めます。

季節的に人の気分に上下があることは、医学ではすでに意識されていて、とくに日照時間との関係が指摘されています。日照時間が短くなってくる晩秋から初冬にかけて、気分が下がり気味になり、きっかけがあると、うつ状態に陥るということです。「季節性うつ病」という病名も存在するくらいです。世界的には北半球、とくに冬に日が明けなくなる北極圏では少なくない人がうつ病になると言われています。

ですから、11月に気分が下がるのは、私だけでなく、結構な人数の方に毎年起こることと理解できます。11月の気分の下がりを、自分のせいと悲観する必要は全くないと言えます。さらに、この気分の下がりには対処法があるのです。

私が12月に気分が上向きになることは、まさにそのことを示しています。やることがあって、それをこなしていくうちに気分が上向きになっていくのです。街が明るくにぎやかになることも、有効なのでしょう。周りが明るくにぎやかになっているところに、あえて身を置くということも、気分を上げると期待できます。毎年やってくる11月は、12月を楽しみにして乗り切りましょう！

「時差ぼけ」のしくみ

生まれて初めての海外旅行で、ハワイに行ったときのことです。ハワイといっても観光旅行ではなく、ハワイ島のリゾートホテルで開催された学会で研究発表を行うために行きました。学会は4日間で、そのリゾートホテルに宿泊していました。その間、ずっと時差ぼけに悩まされることになりました。

まず、飛行機の中でほとんど寝られず、到着が朝だったので、寝不足でボーっとした状態で会場入りしました。始めは緊張で眠気に襲われることはなかったのですが、頭がぼんやりとして学会発表に集中できません。そして夜になりました。現地時間の午後10時ぐらいから、頭がすっきりとしてきて、全く眠くなりません。結局、ほとんど眠れないまま、朝になりました。

2日目の午前中から猛烈な眠気が襲い、学会はほとんど居眠りしている始末。こうなると、体調が落ちて、食事もおいしくありません。3日目に時間が空いて、ハワイ島一周のドライブに出かけたのですが、運転手でなかったために、車内でほとんど居眠りをしていました。結局、4日間、夜中は起きていて、昼は居眠り、という散々な結果に終わったのです。時差ぼけがこんなにひどいものとは思ってもみませんでした。

人は1日に2度、眠気が起こります。一つは午前2時前後に強い眠気、もう一つは午後2時前後に弱い眠気です。そこで、日本とハワイの時差がマイナス19時間であることを考慮します。もし、ハワイの時間に慣れていないとすると、現地の午前7時前後に強い眠気、午後7時前後に弱い眠気ということになります。朝食を食べるころに強い眠気が来ているのだから、昼は徹夜明けみたいな状態です。これは使い物になりません。

実は、時差ぼけは東に向かって移動した場合に強くなると言われていて、日本からハワイへ行くのはとくに時差ぼけがひどくなりやすいのだそうです。初めての海外旅行がハワイだったのは、最悪の選択だったようです。これに懲りたためか、それ以来、私はハワイを訪れたことがありません。

時差ぼけにはメラトニンという催眠ホルモンを服用するのがいいとされているのですが、残念ながら日本ではまだ、市販されていません。メラトニンが手に入ったらハワイ旅行に挑戦しましょうか。散々だったハワイ旅行は奇しくも日本が平成になった日に出発しました。それから30余年。ついに元号も変わってしまいましたね。

「汗臭さ」は改善できる！

暑い日が続くようになると、いつも汗をかいているようになります。汗が流れ落ちたり、汗が体にまとわりついたりするようになり、実に不快なものです。そして、汗のにおいが気になりだします。汗臭い状態は周りにも迷惑をかけそうな気がして、なるべく早くシャワーで流してしまいたくなるものです。

ところで汗のにおいって何でしょうか？　酸っぱいような、つんと来る感じのにおいのことを指していることが多いようです。アンモニアに似たにおいである場合も多いみたいです。でも、実は人間が分泌する汗は全くにおいのしないものであることが分かっています。無臭である汗がにおうということはどういうことでしょうか？　犯人は皮膚の表面に住み着いている細菌たちです。

私たちの皮膚にはたくさんの種類の細菌が一面に住み着いています。体を洗うと細菌の数は相当に減るのですが、根絶やしにはならず、時間を置くとどんどん増殖して、元の状態に戻っていきます。そこで、常に細菌が存在しているとみなせるので、常在細菌と呼んでいます。

常在細菌は住み着いているだけで、人には全く害を及ぼすものではありません。しかし、汗をかいて汗の成分が皮膚の上に残ると、それによごれや皮脂が一緒になります。これが常在細菌の餌となり、分解されて様々な物質が作られます。

この細菌が作った物質の中に、においを生じるものがあるのです。代表的なのはアンモニアです。汗がアンモニアのようなにおいがするのは常在細菌がアンモニアを作り出すからなのです。汗自体にはアンモニアは含まれていないのです。

汗をかいて、それを放置していると常在細菌のせいで、においが生じ始めます。ですから、汗をかいたら、なるべく早く除去するのが得策です。といっても、頻繁にシャワーを浴びるわけにもいきません。そこで、こまめに汗を拭きとるのが得策でしょう。

最近は便利なウェットティッシュがありますので、これを使うのがいいでしょう。ウェットティッシュの水分は常在細菌の餌になりませんから、においを生じる恐れはなく、水分の蒸発で汗の代わりに体を冷やしてくれますので、効果的です。

汗臭くなりやすいのは体質のせいとあきらめている人がいたら、それは誤解で、改善の余地があると知ってほしいと思います。汗は臭くないのですから。

「記憶」のとどまり方

物事を、心の中、つまり脳の中にとどめておくことを記憶と言います。つまり「覚えている」ことです。記憶は脳内にとどまっている時間によって、感覚記憶、短期記憶、中期記憶、長期記憶と分類されます。感覚記憶は様々な情報が目、耳、味覚、嗅覚などの感覚器官を経て脳に届けられて0・1秒から0・5秒のほんの短い期間とどまる記憶です。感覚器官から入力されたすべての情報は一旦、ほんのわずかな期間ですが、脳内にとどまり、そこから必要な情報だけが残り続け短期記憶となります。それ以外の感覚記憶は消失します。

短期記憶は脳内に数分間とどまる記憶です。例えば、電話で人の住所や電話番号を聞いて、それを手元の紙にメモをするというようなときに用いる記憶です。メモしたので、住所や電話番号は忘れてしまっても差し支えないので、それ以上脳内に記憶をとどめる必要はないわけです。

短期記憶のうち、その場での当面の行動に必要な記憶は中期記憶として脳内に保持されます。例えば、会話をしているときに、その話したり聞いたりしたことは、会話の継続に必要なので、中期記憶として脳内に保持されます。会話が終わると、当面は必要がないので、その内容は次第に忘れていきます。

しかし、会話の内容の要約やとくに印象的な場面、事柄、言葉など、そして、会話をしたという事実、時間、場所などは、長期記憶としてとどまることになります。この長期記憶が、一般の方が「記憶」としているものです。長期記憶も脳内にとどまるのは数時間に過ぎないものから、生涯忘れないものまであります。この長期記憶は最終的に大脳の前方にある前頭葉《ぜんとうよう》という場所に溜められると考えられています。

記憶しているかどうかは、思い出して初めて確認できます。これを想起《そうき》と呼びます。想起は記憶を意識の中に乗せることなので、想起をすると記憶内容を再び記憶することにもなります。ですから、何度も想起すれば記憶は消えにくくなり、ついには生涯忘れない記憶となるのです。自分の名前や年齢、住所などを覚え続けられるのは、想起する機会が数知れなくあるからなのです。

お酒を飲み過ぎた翌朝に、前の日の宴会のことがすっぽり抜け落ちていることがありますが、これは、アルコールが中期記憶を長期記憶にするステップを妨害するためと理解されています。忘れるほど飲むのは、脳に悪影響が残る可能性があります。ご用心。

「感染症」と付き合いながら

新型コロナウイルスの感染拡大で、社会経済活動にも大きな支障が生じました。小中高校の一斉休校、外出自粛要請、事業所での時差出勤、テレワークなどの実施、さらに事業所の一時閉鎖にまで至ったところもあります。大規模な音楽イベントは中止、スポーツイベントは無観客開催となりました。そんな中で、外食をどうするかが大きな問題となりました。

ホテルなどでの大規模な宴会は次々中止に。折悪しく歓送迎会シーズンを直撃し、レストラン、居酒屋などもキャンセルの嵐です。大人数の宴会やライブハウスでの集団感染事例があり、自粛はやむを得ないと考えます。

では、少人数での会合や商談などはどうでしょうか。こうしたものも一律に自粛の方向性になりましたが、どうしても必要なものもあるでしょう。私の考えでは、十分な感染対策を取ることができれば、小規模の会合を自粛する理由はないと思われます。

このような時期の会合開催の条件を上げてみます。まず、大人数でないこと。この大人数は、不特定多数の人が会う状況を避けるという意味です。さらに、食器を経由しての接触感染の危険性が高いビュッフェ形式、立食形式としないことです。料理は銘々に出され、箸やスプーン、ナイフ、フォークが共用されないようにします。

宴席は密閉空間でないことが望ましいのですが、狭い小上がりや個室の場合は、換気に気を配ることです。カラオケは、マイクを通しての接触感染の可能性やカラオケボックス自体が密閉空間なので、避けた方がいいでしょう。スナックなどでのカラオケは、マイクの消毒をたびたび行えば、危険性はかなり減ると思われます。

そして、とても大事なことは、せき、たん、鼻水、くしゃみ、頭痛、発熱などの症状があったら、軽症でも会合に出ないことです。逆に言うと、全く症状がないのなら、会合に出てもいいことになります。したがって、会合は知り合い同士で互いに症状がないことを確認できれば、開催してもいいということです。

会合の自粛はススキノを直撃しています。店を閉めてしまったところも多くなっています。

「お茶」はビジネスの句読点

様々なビジネスの現場には、「お茶」が登場します。来客へのもてなし、会議の最中、出勤したとき、休憩中、それに、昼食後。出てくるものは、日本茶に限らず、コーヒー、紅茶、ウーロン茶、ミネラルウォーターなど様々。これら仕事の合間に出てくる飲料を総称して「お茶」ということが多いようです。

来客のおもてなしでお茶を出すのは、のどの乾きを潤して、一息ついてもらうためと言われます。落ち着いた気分になれば、用談もスムーズに進むというものです。一方、会議でのお茶は、水分補給に加えて、とかく気詰まりな会議の雰囲気から、気分を転換するという効果があります。お茶はビジネスの句読点、という訳です。

では、お茶にはどのような身体的効果が期待できるのでしょうか。まず、当たり前とはいえ水分補給です。仕事を続けると、ついついのどの乾きを忘れ、水分補給が後回しになりがちです。とくに現代人は昔に比べて、こまめに水分を補給する習慣が薄れていて、水分不足になりがちであると指摘されています。お茶があれば、仕事中にいつでも水分補給がこまめにできることになりますので、これは、体にいいことと言えます。

さらに、お茶の定番である、日本茶、紅茶、コーヒーにはカフェインがたくさん含まれていますが、これは言うまでもなく、脳の働きを活性化させる作用を持ちます。時折お茶を飲めば、仕事の連続で少し疲れた脳を活性化し、クリアな状態で再び仕事に取り掛かれるようになるわけです。

来客のおもてなしや会議中のお茶も、脳を活性化させる効果により、話を進展させ良い方向に導くことが期待できます。と、考えると、お茶は、ミネラルウォーターよりも、日本茶、紅茶、コーヒーの方が、お茶としての役割を十分に果たせそうです。

昔は、事務所でのお茶出しというのは、女性事務員の仕事と位置付けられて、極めて軽い仕事のように扱われていました。もちろん、「女性」に限定していたから差別的でもあったわけです。それで、お茶出しという仕事は、急速になくなって、各自、自己責任というところも多いようです。でも、お茶出しという仕事自体は、とても重要な責務を負っているのだと、つくづく思った次第です。

社長さん、自ら社員にお茶出ししてみません?

「水の硬度」を楽しむ

飲料水の性質を示す尺度の一つとして、硬度と呼ばれるものがあります。もちろん飲料水はほとんど真水なのですが、ごく微量の成分が含まれています。その成分の中で、カルシウムとマグネシウムという金属がありますが、その含有量を示す指標を硬度と言います。含有量が多いと硬度は高くなります。硬度の高い水、すなわち硬水は、口当たりが重く、うっすらと苦味を感じます。一方、硬度が低い水、すなわち軟水は口当たりが軽く、とくに日本人は飲みやすいと感じるようです。

硬水の言葉の由来には、いくつか説があるようですが、石鹸の泡立ちが悪いので水が硬いというのが有力です。カルシウムやマグネシウムが石鹸の成分と結合すると、溶けにくい石鹸カスとなってしまい、泡を作りにくくなり、洗浄力も落ちます。水で洗い流しても石鹸の成分が肌に残って、なかなかスッキリしません。軟水は石鹸をすぐに泡立てることができ、水で流すと肌の石鹸がすぐに洗い流されて、すっきりさっぱりとします。

水道水が硬水か軟水かというのは、その地域の地質や水源の場所などに影響されるので、実に様々です。北海道は比較的軟水が多いとされていますが、道東など一部の地域ではかなり硬度の高い硬水が給水されています。土地土地の水道水の口当たりが変わるのは、硬度の違いが原因であると言えます。

軟水は口当たりが良く、余計な味がしないので、料理に使うのに適していると言われます。とくに和食は繊細な味を引き出すために、軟水が欠かせないそうです。また、ご飯を炊くのも雑味がない軟水が適していると言われます。

でも、硬水も煮込み料理などに使うと、肉などのアクを引き出す作用があり、おいしいカレーやシチューができるそうです。市販のミネラルウォーターには軟水のものと硬水のものがあるので、これを使い分けるのも一つの方法です。

製造するのに水が欠かせないお酒の場合はどうでしょうか。硬水を使うと、カルシウムが酵母の発酵を進める作用があると言われます。つまり、できたお酒のアルコール濃度が高くなり、辛口のお酒になります。

一方、軟水では発酵が比較的ゆっくりしているので、アルコールが控えめの甘口のお酒になります。日本酒の場合、産地の水が、お酒の味わいを決定すると言われるのは、このためと考えられます。盃を傾けながら、産地の水に思いを馳《は》せるのも悪くありませんね。

「熱帯夜」で眠れないワケ

ここ数年、北海道は暑い夏に見舞われています。扇風機やクーラーが売り切れる年もあるほどです。昼のカンカン照りも困りものですが、それ以上に始末に悪いのが、熱帯夜の襲来です。

熱帯夜とは、最低気温が25℃以上となる夜のことで、とにかく暑くて、安眠が妨げられる夜のことです。北海道はめったに熱帯夜にはならないのですが、最低気温が20℃以上の日はひと夏のうちに何回か確実にやってきます。

昼間は耐えられるような室温の中でも、夜になるとなかなか寝付けなくなります。これは、夜の睡眠は体温の低下と関係しているからです。人の体温は1日の間に周期的に変動し、午後4時ごろに一番高い体温を示し、午前4時ごろに最低の体温となります。

この変動は、体内の生物時計と言われる周期的リズムを作る神経と、その刺激によって分泌されるメラトニンというホルモンの作用によって決められています。そして、メラトニンは午後9時ごろから分泌が徐々に増えて、それによって次第に体温が下がって、この変化が眠気を導き、就寝するのです。つまり、夜に気温が下がらないと、そのために体温の下がりが鈍くなるので、なかなか寝付けないということになるのです。

暑い夜に寝付くためには、体温がなるべく下がっていくような方策が必要になります。一つの方策は、ぬるめのお風呂にゆっくり浸かることです。こうすると、気分が緩やかになることに加えて、湯上りにひと汗かいて体温が下がることが期待できます。これで、意外とすんなり眠りにつくことができます。熱いお風呂には興奮作用があると言われ、体温も下がりにくいので逆効果です。

体温を下げるもう一つの方法は、十分な水分補給をしてから寝付くことです。夜に体温を下げるためには、皮膚から水分を蒸発させて、これによって熱を放散する必要がありまず。必ずしも汗をかくのではないのですが、体温を下げるためにはそれ相当の水分が必要なのです。水分不足では、体温が下がりにくくなり、寝付けないことになるのです。

ですから、体を水分不足にしてしまうアルコールは、やはり控えた方が賢明です。熱帯夜の寝酒は禁物ですね。

「マラソン初心者」の作法

ここ数年、一段とランニングが国民の趣味として広がりを見せています。とくに中高年においては、自身の健康維持のためにランニングを始める人が多くなっているようです。それも、若いころスポーツをやっていた人が、ランニングを始めるというようなケースだけでなく、それまで全くスポーツと無縁だった人が、色々なきっかけでランニングを始めるようなケースが多くなっています。

ランニングは、自宅の周りや近所の公園などで気軽に始められることも、ブームを後押ししているようですが、そうしてランニングが日課になってくると腕試しをしたくなるもの。最近はそうした市民ランナーが気軽に参加できるマラソン大会が各地で行われるようになりました。北海道の主要都市では、少なくとも年に1回は何らかの市民ランナーのマラソン大会が行われています。

つまり、昨今のマラソン大会は初心者の参加が増えているということです。例えば、職場でランニングが流行り始めて、直近のマラソン大会に職場のメンバーが集まって参加することで盛り上がったとします。普段ランニングとは全く無縁だった人にも、勢い声がかかります。みんながやるのに、自分だけ断るのは気が引ける。生返事を返しているうちに、すっかり話が進んで、出場する羽目になってしまった人も多いとか。こうしたモチベーションの低い初心者の方が、事故なくマラソンを走るための注意点があります。

大会まで、なるべく走る練習をしてほしいのですが、初心者ほど思うに任せないものです。仕事だって忙しいから、走る時間はなかなか取れません。練習不足の初心者が走るのですから、決して無理はしないでほしいものです。まず、ふつうのTシャツやトレーナーでマラソンをするのはやめてください。マラソン中はすぐに体が熱くなってしまうのが普通で、厚手のウエアや通気性のないウエアでは、たちまち熱中症になってしまいます。

寒い春先や晩秋の北海道でも危険です。初心者は皮下脂肪が多いので、熱の発散効率がわるく、なおさら危険性が高いとお考えください。また、初心者は周りの雰囲気にのまれて、スタート直後に実力以上のスピードで飛ばしてしまう人がほとんどです。これは、確実に後半のバテを引き起こします。

昔はスポーツやっていた人も初心者です。ゆっくり走って完走できたら御の字ではありませんか？

「秋の食欲」は気のせい……ではない！

天高く馬肥ゆる秋、と申します。秋は収穫の時期であり、馬も食欲が増して大きくなるということです。人も食欲が増すようで、食欲の秋という言葉もあります。秋は農作物が実をつけて、収穫される時期であり、魚も冬に向けて脂がのってきます。おいしいものが一挙に出てくるので、自然と食欲が湧き、たくさん食べてしまうのでしょう。

しかし、最近の研究では、それだけが理由でないことが指摘されています。一つは、冬に向かって、人の体内での代謝活動が活発化するということです。これは、甲状腺ホルモンという代謝を活発化させるホルモンが、冬に向かって分泌を増加するためです。夏よりもエネルギーを消費して、細胞を活性化して、冬の寒さに備えるためと説明されます。という訳で、エネルギーを得るために食欲が高まって、よりたくさん食べるようになると、考えられます。

また、もう一つのしくみとして、秋から冬にかけて日照時間が短くなることが影響していると言われます。とくに脳内で分泌されるセロトニンが関係しています。

精神を安定させる作用があるセロトニンは、日照時間が短いと分泌が低下することが分かっており、冬季うつ病との関係が議論されています。そこで、セロトニンの分泌がなるべく減らないように人は行動すると考えられます。セロトニンの分泌は十分な睡眠により増加します。ですから、ぐっすり眠ると気分は爽快になります。一方、糖質、肉類、乳製品をより多く食べると、セロトニンの分泌が高まることもわかっています。ですから、秋に日が短くなり始めると、食欲が増して、セロトニンを増やす栄養分をとろうとするのだという説明です。

という訳で、秋に食欲が高まるのは、気のせいでも、雰囲気に流されているのでもありません。したがって、メタボが気になるビジネスマンにとって、秋は要注意の季節であると言えます。

とりわけ、注意すべきは酒宴での食事です。それは、適量のアルコールには食欲増進の作用があるからです。胃を刺激して胃液の分泌と胃の運動を活発にするからです。また、アルコールが抑制心を弱める作用があることも見逃せません。おいしいものを口にすると、もっと欲しくなるという訳です。帰りがけにラーメンを食べたくなるのは、それが理由の一つかもしれません。くれぐれもお気をつけて……。

「趣味」の効用

昔のビジネスマンは「無趣味」なんて答える人が多かったものですが、今では、多くのビジネスマンが何かしらの趣味を持っています。では、趣味とはどういうものなのでしょうか。

国語辞典をみると、「仕事、職業としてではなく、個人が楽しみとしている事柄」とあります。仕事でないということは、余暇や自由時間に行うこととも言えるでしょう。でも、人はなぜ、趣味を持つのでしょうか？　これには「楽しみ」であるということが重要です。楽しみでないことを趣味にする人はいないはずです。仕事じゃないけど楽しいことだから、続けるというわけです。

逆に仕事はどういうことか考えてみます。もちろん、仕事を楽しみだと思っている人も多いと思いますが、「仕事が趣味だ」というのは、辞典の定義から外れることになります。仕事は時間的にも、行動的にも多くに制約、強制が伴います。嫌なことでも仕事ならやらなければなりません。同じことを繰り返し行うことも強制されます。でも、そのかわり収入が得られるというわけです。つまり、仕事は基本的にストレスであるということです。人は継続的にストレスにさらされ続けると、それを乗り越えるために、ストレスホルモンが体内に分泌され、体の性能を上げ、エネルギーを動員します。

こうして、大抵のストレスを乗り切るのですが、ストレスが長く続くと、ストレスホルモンを使い切ってしまい、体が急速に疲れ切ってしまいます。体調が悪くなり、精神的にも落ち込んでしまいます。

ですから、休みなしで仕事を続けることは、それがどんなに好きなことであっても、体を壊すことになるのです。仕事を続けるためには休日が絶対に必要なのです。そして、休日には仕事関係のことをしないことが大切です。そうしないと、ストレスから解放されません。かといって何もしないで過ごすのも難しいわけで、そこで趣味を楽しむことになります。趣味による気分転換や、ストレスからの解放に、意義があるのです。

とすれば、仕事が趣味というのはあり得ないことになります。また、飲酒が趣味というのも違う気がします。何せ、飲酒は体に対してストレスであることは証明済みだからです。みなさん、「仕事」と「飲酒」以外の趣味を持とうではありませんか。

おわりに

「おとなの養生訓」の連載は、思いがけず長くなりました。平成24年（２０１２年）7月から月2回のペースで、連載が続いてきました。よく続いたものだと思っています。教科書などには載っていないようなテーマ、ネタを探し出して文章を組み立てるのですから、早晩、ネタが尽きるのだろうと容易に想像されました。でも、うんうんと苦しみながら頭を絞って書き続けているうちに、新たな着想を得たり、生理学上の新しい知見に行き当ったりすることも多く、私自身も成長したと思っています。ときには、体のしくみそのものから離れ、食べ物やお酒そのものをテーマにしてしまったことも、よくありました。しかし、担当編集者の広い心のおかげで、掲載を許可いただきました。夜の街、そして何よりお酒を人生の友としている身としては、幸せな執筆が続きました。かねてから、専門とは離れて、お酒のエッセイを手掛けたいとの野望を持っておりましたので、チャンスを最大限利用させていただいた次第。北海道建設新聞社編集局に改めて御礼を申し上げるところです。そして、今回の単行本化についても、多大なご助力をいただきました。重ねて御礼を申し上げます。

ようやく、おわりの文を書きあげました。早速、なじみのバーに行って、ひそかに祝杯を挙げましょう。さて、今日はどのウイスキーにしましょうか？　スタートはラフロイグのハイボール、それからストレートでシングルモルトを3杯。最後は芳醇なボウモアで。ほろ酔いで退散するのがおとなの養生訓です。

参考文献

生理学の関係書で自著を掲げます。
『図解入門　よくわかる生理学の基本としくみ』當瀬規嗣（秀和システム、２００６）
『Clinical　生体機能学』當瀬規嗣（南山堂、２００５）

※本書は北海道建設新聞の紙面上で、２０１２年7月から連載されている「おとなの養生訓」をまとめたものです。69話を抜粋し、加筆・修正の上、再編集しました。

當瀬規嗣（とうせ　のりつぐ）
札幌医科大学医学部細胞生理学講座教授。
1959年生まれ。1984年北海道大医学部卒、88年北海道大学大学院修了、医学博士。北海道大医学部助手、札幌医科大医学部助教授、米シンシナティ大客員助教授を経て、98年札幌医科大医学部教授に就任。2006～10年、同医学部長。

おとなの養生訓《ようじょうくん》

発　行	2020年10月30日	初版第１刷
	2020年12月25日	初版第２刷
著　者	當瀬規嗣	
発行者	林下英二	
発行所	中西出版株式会社	
	〒007-0823 札幌市東区東雁来３条１丁目１-34	
	TEL 011-785-0737　FAX 011-781-7516	
印刷所	中西印刷株式会社	
製本所	石田製本株式会社	

落丁・乱丁本は、ご面倒ですが小社宛にお送り下さい。
お取替え致します。

ISBN978-4-89115-384-7